"NOUS N'AVONS RIEN . . ."

L'ABBÉ CONSTANTIN

PAR

LUDOVIC HALÉVY

WITH NOTES AND VOCABULARY

BY

THOMAS LOGIE, Ph.D.

FORMERLY PROFESSOR OF ROMANCE LANGUAGES, WILLIAMS COLLEGE

NEW EDITION WITH DIRECT-METHOD EXERCISES

35762

D. C. HEATH & CO., PUBLISHERS
BOSTON   NEW YORK   CHICAGO

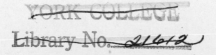

PRINTED IN U. S. A.

INTRODUCTION

THE son of a French poet and dramatist, Ludovic Halévy was born at Paris on January 1, 1834. He was educated at the Lycée Louis le Grand, and after leaving school entered the civil service. He began in the State Department, where he served from 1852 to 1858, was then transferred to take charge of a bureau in the Ministry of Algeria, and later to the *Corps Législatif*. In the meantime he had been devoting himself to literary pursuits, and, when his success as a writer for the stage was established, he left the public service. From 1861 to 1875 he furnished the librettos for Offenbach's music. In 1877 he began to work in collaboration with Henri Meilhac, and they produced many theatrical pieces which have been represented on the stage of the Grand Opéra, the Comédie Française, and the Opéra Comique. Some of these are: *Le Fandango*, 1877; *Le Petit Duc*, 1878; *Le Mari de la Débutante*, 1879; *Le Petit Hôtel*, 1879; *La Petite Mère*, 1880. In 1884 Halévy was elected a member of the French Academy, and gave his *discours de réception* in 1886. His personality is seen best in his prose works, — in his novels and short stories. Some of these are: *Marcel*, 1876; *Les Petites Cardinal*, 1880; *Un Mariage d'Amour*, 1881; *La Famille Cardinal*, 1883; *Criquette*, 1883; *Deux Mariages*, 1883; *Princesse*, 1883. In 1872 he published his personal recollections of the siege of Paris under the title of *L'Invasion*. He died in 1908.

L'Abbé Constantin first appeared in the *Revue des deux Mondes* in 1882 and was received with the greatest favor. A reviewer in the *Revue Bleue*, speaking of this work, prophesied, "In the month of July, when the French Academy distributes its honors for moral, healthy, and edifying works, the laureate proclaimed first of all and without a peer will be the author of *L'Abbé Constantin*."

It is a novel in which the characters have high ideals of honor, and pursue a life devoted to worthy aims. Theirs is that simple, unaffected virtue which attracts and charms. The style also, in its simplicity, is suited to the characters. Halévy wrote charmingly, without appearing to make any effort to do so. He wrote with apparently the same ease as if he were conversing. He did not strive after effect, and never obtruded his own personality. This is, of all styles, apparently one of the easiest, but really one of the most difficult to attain.

T. L.

D. C. Heath & Company, the publishers of this new edition of *L'Abbé Constantin*, desire to extend to Calmann-Lévy of Paris, through their New York representative, Mr. Leopold Dion, Manager of Manzi, Joyant & Company of 58 West 45th Street, their thanks for the privilege of using some of the cuts contained in the original edition of this text. These admirable pictures were produced by the noted French artist, Madame Madeleine Lemaire.

L'ABBÉ CONSTANTIN

I

D'un pas encore vaillant et ferme, un vieux prêtre marchait sur la route poudreuse, en plein soleil.[1] Il y avait
déjà plus de[2] trente ans que l'abbé Constantin était curé[3]
de ce petit village qui dormait là, dans la plaine, au bord
d'un mince cours d'eau appelé la Lizotte.   5

L'abbé Constantin, depuis un quart d'heure, longeait[4]
le mur du château de Longueval; il arriva devant la grille
d'entrée qui s'appuyait, haute et massive, sur deux lourds
piliers de vieilles pierres brunies et rongées par le temps.
Le curé s'arrêta et tristement regarda deux immenses 10
affiches bleues placardées sur les piliers.

Ces affiches annonçaient que, le mercredi 18 mai 1881,
à une heure de relevée,[5] aurait lieu, à l'audience des criées
du tribunal civil[6] de Souvigny, la vente du domaine de
Longueval, divisé en quatre lots: 15

1° Le château de Longueval et ses dépendances, belles
pièces d'eau, vastes communs, parc de cent cinquante hectares entièrement clos de murs et traversé par la rivière
de la Lizotte.   Mise à prix:[7] six cent mille francs;

2° La ferme de Blanche-Couronne, trois cents hectares, 20
mise à prix: cinq cent mille francs;

3° La ferme de la Rozeraie, deux cent cinquante hectares, mise à prix: quatre cent mille francs;

4° La futaie et les bois[8] de la Mionne, d'une conte-

nance de quatre cent cinquante hectares, mise à prix: cinq
cent cinquante mille francs.

Et ces quatre chiffres additionnés au bas de l'affiche
donnaient la respectable[1] somme de deux millions cinquante mille francs.

Ainsi donc il allait être divisé, ce magnifique domaine
qui, depuis deux siècles, échappant au morcellement, avait
toujours été transmis intact, de père en fils, dans la famille
des Longueval. L'affiche annonçait bien que, après l'adjudication provisoire des quatre lots, il y aurait faculté de
réunion et mise en adjudication du domaine tout entier;[2]
mais c'était un bien gros morceau et, selon toute apparence,
aucun acheteur ne se présenterait.

La marquise de Longueval était morte, six mois auparavant; en 1873, elle avait perdu son fils unique,[3] Robert
de Longueval; les trois héritiers étaient les petits-enfants
de la marquise, Pierre, Hélène et Camille. On avait dû[4]
mettre le domaine en vente, Hélène et Camille étant
mineures. Pierre, un jeune homme de vingt-trois ans,
avait fait des folies, était à moitié ruiné et ne pouvait
songer à racheter Longueval.

Il était midi. Dans une heure, il aurait un nouveau
maître, le château de Longueval. Et ce maître, qui serait-il? Quelle femme, dans le grand salon tout entouré
d'anciennes tapisseries, prendrait, au coin de la cheminée,
la place de la marquise, la vieille amie du pauvre curé de
campagne?[5] C'était elle qui avait relevé l'église du village;
c'était elle qui se chargeait de l'approvisionnement et de
l'entretien de la pharmacie tenue au presbytère par Pauline, la servante du curé; c'était elle qui, deux fois par
semaine, dans son grand landau[6] tout encombré de petits
vêtements d'enfant et de gros jupons de laine, venait

prendre [1] l'abbé Constantin et faisait avec lui ce qu'elle appelait *la chasse aux pauvres*.[2]

Il reprit sa marche en pensant à tout cela, le vieux prêtre... Puis il pensait aussi, — les plus grands saints ont eu leurs petites faiblesses, — il pensait aussi à ses chères habitudes de trente années brusquement interrompues. Tous les jeudis et tous les dimanches, il dînait au château ... Comme il était gâté, choyé, câliné!... La petite Camille — elle avait huit ans — venait s'asseoir sur ses genoux et lui disait:

— Vous savez, monsieur le curé, c'est dans votre église que je veux me marier, et bonne maman enverra des fleurs tout plein, tout plein l'église [3]...plus que pour le mois de Marie.[4] Ce sera comme un grand jardin tout blanc, tout blanc, tout blanc!

Le mois de Marie!... C'était alors le mois de Marie; l'autel, autrefois, à cette époque-là, disparaissait sous les fleurs apportées des serres du château. Cette année, sur l'autel, rien que quelques pauvres bouquets de muguet et de lilas blanc, dans des vases de porcelaine dorée. Autrefois, tous les dimanches, à la grand'messe,[5] et tous les soirs, pendant le mois de Marie, mademoiselle Hébert, la lectrice de madame de Longueval, venait tenir le petit harmonium [6] donné par la marquise... Aujourd'hui, le pauvre harmonium, réduit au silence, n'accompagnait plus la voix des chantres et les cantiques des enfants. Mademoiselle Marbeau, la directrice de la poste, était un peu musicienne,[7] et de bien bon cœur [8] elle aurait pris la place de mademoiselle Hébert; mais elle n'osait pas, elle avait peur d'être notée comme cléricale [9] et d'être dénoncée par le maire, qui était libre penseur. Cela aurait pu nuire à son avancement.

Le mur du parc venait de finir,[1] de ce parc dont tous les
détours étaient familiers au vieux curé. La route suivait
maintenant les bords de la Lizotte et, de l'autre côté de la
petite rivière, s'étendaient les prairies des deux fermes;
5 puis, au delà, s'élevait la haute futaie[2] de la Mionne. Morcelé...le domaine allait être morcelé!... Cette pensée déchirait le cœur du pauvre prêtre. Pour lui, tout cela,
depuis trente ans, tenait ensemble, faisait corps.[3] C'était
un peu[4] son bien, sa chose, cette grande propriété. Il se
10 sentait chez lui sur les terres de Longueval. Il lui était
arrivé plus d'une fois de s'arrêter complaisamment devant
quelque immense champ de blé, d'arracher un épi, de
l'égrener et de se dire:

— Allons! le grain est beau, bien ferme et bien nourri.
15 Nous aurons cette année une bonne récolte.

Et, joyeusement, il reprenait sa route à travers *ses*
champs, *ses* herbages et *ses* prairies. Bref, par toutes
les choses de sa vie, par toutes ses habitudes, tous ses
souvenirs, il tenait à ce domaine dont la dernière heure
20 était venue.

L'abbé apercevait au loin la ferme de Blanche-Couronne; ses toitures en tuiles rouges se détachaient sur[5] la
verdure de la futaie. Là encore, le curé se trouvait chez
lui. Bernard, le fermier de la marquise, était son ami, et,
25 lorsque le vieux prêtre s'était attardé dans ses visites aux
pauvres et aux malades, lorsque, le soleil se rapprochant
de l'horizon, l'abbé se sentait un peu de fatigue dans les
jambes et de tiraillements dans l'estomac, il s'arrêtait,
soupait chez Bernard, se régalait d'un bon fricot de lard
30 et de pommes de terre, vidait son pichet de cidre; puis,
après le souper, le fermier attelait sa vieille jument noire à
son petit cabriolet et reconduisait le curé à Longueval.

Tout le long de la route, ils bavardaient et se querellaient.
... Le curé reprochait au fermier de ne pas venir à la
messe et celui-ci de répondre[1] :

— La femme et les filles y vont pour moi... Vous savez
bien, monsieur le curé, c'est comme ça chez nous. Les
femmes ont de la religion pour les hommes. Elles nous
feront ouvrir les portes du paradis.

Et malicieusement il ajoutait, en allongeant un petit
coup de fouet à la jument noire:

— S'il y en a un![2]

Le vieux curé bondissait dans le vieux cabriolet.

— Comment! s'il y en a un? Mais certainement il y
en a un!

— Alors vous y serez, monsieur le curé.[3] Vous dites que
ce n'est pas sûr... et moi, je vous dis que si[4]... Vous y
serez! vous y serez! à la porte, guettant vos paroissiens
et continuant à vous occuper de nos petites affaires... Et
vous direz à saint Pierre...car c'est bien saint Pierre,
n'est-ce pas, qui tient les clefs du paradis?

— Oui, c'est saint Pierre.

— Eh bien, vous lui direz, à saint Pierre, s'il veut me
fermer la porte au nez,[5] sous prétexte que je n'allais pas à
la messe, vous lui direz: "Bah! laissez-le passer tout de
même... C'est Bernard, un des fermiers de madame la
marquise, un brave homme.[6] Il était du conseil munici-
pal, et il a voté pour le maintien des sœurs[7] qu'on voulait
renvoyer de l'école." Ça touchera saint Pierre, qui répon-
dra: "Eh bien, allons, passez, Bernard, mais c'est bien
pour faire plaisir à M. le curé." Car vous serez encore curé
là-haut, et curé de Longueval. Ce serait trop triste pour
vous le paradis, si ça vous empêchait de rester curé de
Longueval.

Curé de Longueval, oui, toute sa vie il n'avait été que
cela, n'avait jamais rêvé autre chose et n'avait jamais
voulu autre chose. A trois ou quatre reprises, on lui avait
proposé de grosses cures de canton,[1] d'un bon rapport,
5 avec un ou deux vicaires. Il avait refusé. Il aimait sa
petite église, son petit village, son petit presbytère. Il
était là seul, tranquille, faisant tout lui-même; toujours
par voies et par chemins, sous le soleil et sous la pluie,
sous le vent et sous la grêle. Son corps s'était endurci à
10 la fatigue, mais son âme était restée douce et tendre.

Il vivait dans son presbytère, grande maison de paysan
qui n'était séparée de l'église que par le cimetière. Quand
le curé montait à l'échelle pour palisser[2] ses poiriers et ses
pêchers, par-dessus la crête du mur il apercevait les tombes
15 sur lesquelles il avait dit les dernières prières et jeté les
premières pelletées de terre. Alors, tout en faisant sa besogne de jardinier, il disait mentalement une petite oraison
pour le salut de ceux de ses morts qui l'inquiétaient et qui
pouvaient être retenus dans le purgatoire. Il avait une
20 foi naïve et tranquille.

Mais, parmi ces tombes, il y en avait une qui, plus souvent que les autres, avait sa visite et ses prières. C'était
la tombe de son vieil ami, le docteur Reynaud, mort entre
ses bras en 1871, et dans quelles circonstances! Le doc-
25 teur était comme Bernard, jamais il n'allait à la messe et
jamais il n'allait à confesse; mais il était si bon, si charitable, si compatissant à ceux qui souffraient!... C'était la
grande préoccupation, la grande inquiétude du curé. Son
ami Reynaud, où était-il? Puis il se rappelait la noble vie
30 du médecin de campagne,[3] toute de courage et d'abnégation, il se rappelait sa mort, surtout sa mort! et il se disait:

— Au paradis! il ne peut être qu'au paradis! Le bon

LE CURÉ MONTAIT À L'ÉCHELLE . . .

Dieu lui a peut-être fait faire un peu de purgatoire[1]...
pour la forme...mais il a dû l'en retirer[2] au bout de cinq
minutes...

Voilà tout ce qui passait par la tête du vieux curé pendant qu'il continuait sa route vers Souvigny. Il s'en allait
à la ville, chez l'avoué de la marquise, pour connaître le
résultat de la vente, pour savoir quels étaient les nouveaux
maîtres de Longueval; l'abbé avait encore un kilomètre[3]
à parcourir, avant d'atteindre les premières maisons de
Souvigny; il suivait le mur du parc de Lavardens, quand
il entendit au-dessus de sa tête des voix qui l'appelaient:

— Monsieur le curé! monsieur le curé!

En cet endroit, bordant le mur, une longue allée de tilleuls faisait terrasse et l'abbé, levant la tête, aperçut madame de Lavardens et son fils Paul.

— Où allez-vous, monsieur le curé? demanda la comtesse.

— A Souvigny, au tribunal, pour savoir...

— Restez ici... M. de Larnac doit venir, après la vente,
me dire le résultat.

L'abbé Constantin monta sur la terrasse.

Gertrude de Lannilis, comtesse de Lavardens, avait été
très malheureuse. A dix-huit ans, elle fit une folie,[4] la
seule de sa vie, mais irréparable. Elle épousa, par amour,
dans un élan d'enthousiasme et d'exaltation, M. de Lavardens, un des hommes les plus séduisants et les plus spiri-
tuels de ce temps. Lui[5] ne l'aimait pas et ne se mariait
que par nécessité; il avait dévoré jusqu'au dernier sou sa
fortune patrimoniale et, depuis deux ou trois années, ne se
soutenait dans le monde que par des expédients.[6] Mademoiselle de Lannilis savait tout cela et ne se faisait à cet
égard aucune illusion, mais elle se disait:

— Je l'aimerai tant, qu'il finira par m'aimer.

De là tous ses malheurs.   Son existence aurait été tolé-
rable, si elle n'avait pas tant aimé son mari, mais elle l'aimait trop.   Elle ne réussit qu'à le fatiguer de ses obsessions
et de ses tendresses.   Il reprit et continua sa vie d'autre-
5 fois, qui était fort désordonnée.   Quinze années se passèrent ainsi dans un long martyre, supporté par madame de
Lavardens avec toute l'apparence d'une impassible résignation;   résignation qui n'était pas dans son cœur.   Rien
ne put la distraire ni la guérir de cet amour qui la déchirait.

10   M. de Lavardens mourut en 1869; il laissait un fils âgé
de quatorze ans et chez lequel déjà se montraient tous les
défauts et toutes les qualités de son père.   Sans être sérieusement compromise, la fortune de madame de Lavardens se trouvait un peu ébranlée et un peu diminuée.
15 Madame de Lavardens vendit l'hôtel de Paris,¹ se retira à
la campagne, vécut avec beaucoup d'ordre et d'économie,
se consacrant tout entière à l'éducation de son fils.

Mais, là encore, les chagrins et les tristesses l'attendaient.
Paul de Lavardens était intelligent, aimable et bon, mais
20 absolument rebelle à toute contrainte et à tout travail.   Il
désespéra les trois ou quatre précepteurs qui vainement
s'efforcèrent de lui faire entrer quelque chose de sérieux
dans la tête, se présenta à Saint-Cyr,² ne fut pas admis
et commença par dévorer, à Paris, le plus rapidement
25 du monde, et le plus follement, deux ou trois cent mille
francs.

Cela fait, il s'engagea au premier régiment de chasseurs
d'Afrique,³ eut la chance de faire, pour ses débuts,⁴ partie
d'une petite colonne expéditionnaire dans le Sahara, se
30 conduisit bravement, devint très rapidement maréchal des
logis ⁵ et, au bout de trois années, allait être nommé sous-
lieutenant, quand il quitta le service et revint à Paris.

Mais il ne passait à Paris que trois ou quatre mois. Sa mére lui faisait une pension de trente mille francs et lui avait déclaré que jamais, elle vivante, il n'aurait un sou de plus avant son mariage. Il connaissait sa mère et savait qu'il fallait tenir ses paroles pour choses sérieuses. Aussi, vou- 5 lant faire bonne figure à Paris et y mener joyeuse vie, dé- pensait-il ses trente mille francs, entre les mois de mars et de mai, puis revenait docilement se mettre au vert [1] à La- vardens, chassant, pêchant et montant à cheval avec les officiers du régiment d'artillerie qui tenait garnison à Sou- 10 vigny.

Dès que le curé fut en présence de madame de Lavar- dens:

— Je puis, lui dit-elle, sans attendre l'arrivée de M. de Larnac, vous dire les noms des acquéreurs de Longueval. 15 Je suis absolument tranquille et ne mets pas en doute le succès de notre combinaison. Pour ne pas nous faire sot- tement la guerre, nous nous sommes mis d'accord,[2] mon voisin M. de Larnac, M. Gallard, un gros banquier de Paris, et moi. M. de Larnac aura la Mionne; M. Gallard, le 20 château et Blanche-Couronne; moi, la Rozeraie. Je vous connais, monsieur le curé, vous devez être inquiet pour vos pauvres. Rassurez-vous. Ces Gallard sont très riches et vous donneront beaucoup d'argent.

En ce moment, une voiture parut au loin sur la route, 25 dans un nuage de poussière.

— Voici M. de Larnac, s'écria Paul. Je reconnais ses poneys.

Tous les trois, en hâte, descendant de la terrasse, re- tournèrent au château... Ils y arrivèrent au moment 30 où la voiture s'arrêtait devant le perron.

— Eh bien? demanda madame de Lavardens.

— Eh bien, répondit M. de Larnac, nous n'avons rien...

— Comment, rien? demanda madame de Lavardens, fort pâle et fort émue.

— Rien, rien, absolument rien; ni les uns ni les autres.

5   Et M. de Larnac, sautant à bas de la voiture, raconta ce qui venait de se passer à l'audience des criées du tribunal de Souvigny.

— Tout, dit-il, a d'abord marché comme sur des roulettes. Le château est adjugé à M. Gallard pour six cent 10 mille cinquante francs. Pas de compétiteur... Une enchère de cinquante francs avait suffi. En revanche, petite bataille pour Blanche-Couronne. Les enchères s'élèvent de cinq cent mille à cinq cent vingt mille francs, et encore la victoire à M. Gallard. Nouvelle bataille et plus vive 15 pour la Rozeraie; elle vous est enfin adjugée, madame, pour quatre cent cinquante-cinq mille francs...et moi, j'enlève sans concurrence la forêt de la Mionne avec une surenchère de cent francs. Tout paraissait fini; on était déjà debout dans l'assistance;[1] on entourait nos avoués 20 pour savoir le nom des acquéreurs. Cependant M. Brazier, le juge chargé de la vente, réclame le silence, et l'huissier met en vente les quatre lots réunis à deux millions cent cinquante ou soixante mille francs, je ne sais plus au juste... Un murmure ironique circule dans l'auditoire. 25 De tous côtés on entendait dire: "Personne, allez, il n'y aura personne..." Mais, le petit Gibert, l'avoué, qui était assis au premier rang et qui, jusque-là, n'avait pas donné signe de vie, se lève et dit tranquillement: "J'ai acquéreur pour les quatre lots réunis à deux millions deux 30 cent mille francs." Ce fut comme un coup de foudre! Une grande clameur suivie bientôt d'un grand silence. La salle était pleine de fermiers et de cultivateurs des environs.

Tant d'argent pour de la terre, cela les jetait dans une
sorte de stupeur respectueuse... Cependant M. Gallard
se penche vers Sandrier, l'avoué qui avait porté ses enchères... La lutte s'engage entre Gibert et Sandrier...
On arrive à deux millions cinq cent mille francs... Court 5
moment d'hésitation chez M. Gallard... Il se décide...
Il continue jusqu'à trois millions... Là, il s'arrête et le
domaine est adjugé à Gibert... On se jette sur lui, on
l'entoure, on l'écrase... "Le nom, le nom de l'acquéreur?

C'est une Américaine, répond Gibert, madame Scott." 10

— Madame Scott! s'écria Paul de Lavardens.

— Tu la connais? demanda madame de Lavardens.

— Si je la connais![1]...si je la...! Pas du tout...
Mais j'étais au bal chez elle, il y a six semaines.[2]

— Au bal chez elle!...et tu ne la connais pas!... 15
Quelle sorte de femme est-ce donc?

— Ravissante, délicieuse, idéale, une merveille!

— Et il y a un M. Scott?

— Certainement, un grand blond.   Il était à son bal...
On me l'a montré...   Il saluait au hasard, de droite et de 20
gauche.   Il ne s'amusait guère, je vous en réponds...   Il
nous regardait et il avait l'air de se dire: "Qu'est-ce que
c'est que tous ces gens-là?[3]...   Qu'est-ce qu'ils viennent
faire chez moi?..." Nous venions voir madame Scott et
miss Percival, la sœur de madame Scott...   Et ça en 25
valait la peine![4]

— Ces Scott, dit madame de Lavardens en s'adressant
à M. de Larnac, est-ce que vous les connaissez?

—Oui, madame, je les connais...   M. Scott est un Américain colossalement riche, qui est venu s'installer à Paris 30
l'année dernière...   Dès que ce nom a été prononcé, j'ai
compris que la victoire n'avait jamais été indécise.   Gal-

lard était battu d'avance.　Les Scott ont commencé par
acheter à Paris un hôtel[1] de deux millions, du côté du
parc Monceau.[2]

　　— Oui, rue Murillo, dit Paul, puisque je vous dis que
5 je suis allé au bal chez eux; c'était...

　　— Laisse donc[3] parler M. de Larnac.　Tu nous la
raconteras tout à l'heure, l'histoire de ton bal chez
madame Scott.

　　—Voilà donc[4] mes Américains installés à Paris, continua
10 M. de Larnac, et la pluie d'or a commencé.　De vrais par-
venus s'amusant à jeter follement l'argent par les fenêtres.
Cette grande fortune est toute récente; on raconte que
madame Scott, il y a une dizaine d'années,[5] mendiait dans
les rues de New-York.

15　　— Elle a mendié?

　　— On le dit, madame.　Puis elle s'est mariée avec ce
Scott, le fils d'un banquier de New-York...et, tout d'un
coup, un procès gagné leur a mis entre les mains, non pas
des millions, mais des dizaines de millions.　Ils ont quelque
20 part, en Amérique, une mine d'argent, mais une mine
sérieuse, une vraie mine, une mine d'argent...dans laquelle il y a de l'argent...　Ah! vous allez voir quel
luxe va éclater à Longueval!...　Nous aurons tous l'air
de pauvres dans le pays.　On prétend qu'ils ont cent
25 mille francs à dépenser par jour.

　　— Voilà nos voisins! s'écria madame Lavardens.　Une
aventurière!　Et ce n'est rien encore[6]...une hérétique,
monsieur l'abbé, une protestante!

　　Une hérétique! une protestante!　Pauvre curé! c'était
30 bien à cela que, tout de suite, il avait pensé en entendant
ces mots: *une Américaine, madame Scott*.　La nouvelle
châtelaine n'irait pas à la messe!　Que lui importait qu'elle

eût mendié! Que lui importaient ses dizaines et dizaines
de millions! Elle n'était pas catholique! Il ne baptiserait
plus les enfants nés à Longueval, et la chapelle du château, où si souvent il avait dit la messe, allait être trans-
formée en un oratoire protestant, qui entendrait la parole 5
glaciale de quelque pasteur calviniste ou luthérien.

Au milieu de tous ces gens consternés, désolés, seul, Paul
de Lavardens paraissait radieux.

— Une ravissante hérétique, en tout cas, dit-il, et même,
s'il vous plaît, deux ravissantes hérétiques! Il faut les 10
voir, les deux sœurs, à cheval, au Bois,[1] avec les deux petits
grooms pas plus hauts que ça, par derrière...

— Allons, Paul, raconte-nous ce que tu sais, ce bal
dont tu parlais... Comment es-tu allé au bal chez ces
Américaines? 15

— Par le plus grand hasard!... Ma tante Valentine
restait chez elle ce soir-là... J'arrive vers dix heures...
et dame! ça n'est pas d'une gaieté folle, les mercredis de
ma tante Valentine[2]... J'étais là depuis vingt minutes
quand j'aperçois Roger de Puymartin qui s'esquivait 20
adroitement. Je le rattrape dans le vestibule. Je lui dis:
"Rentrons ensemble.[3] — Oh! je ne rentre pas. — Où vas-
tu? — Au bal. — Chez qui? — Chez les Scott; veux-tu
venir avec moi? — Mais je ne suis pas invité. — Moi non
plus!—Comment! toi non plus?—Non, je vais attendre 25
un de mes amis.—Et les connaît-il, les Scott, ton ami? —
A peine, mais assez pour nous présenter tous les deux...
Viens donc... Tu verras madame Scott.— Oh! je l'ai vue,
à cheval, au Bois. Il n'y a rien de mieux à Paris pour
le moment[4]... Et, ma foi! je suis allé au bal... et j'ai 30
vu les cheveux rouges de madame Scott...et j'espère
bien les revoir, quand il y aura des bals à Longueval...

— Paul! dit madame de Lavardens, en lui montrant l'abbé.

— Oh! monsieur l'abbé, je vous demande bien pardon... Est-ce que j'ai dit quelque chose?... Non, il me semble...

Le pauvre prêtre n'avait pas entendu. Sa pensée était ailleurs. Déjà, dans une des rues du village, il voyait le pasteur du château s'arrêter devant chaque maison et glisser sous les portes de petites brochures évangéliques.

Continuant son récit, Paul entama une description enthousiaste de l'hôtel, qui était une merveille...

— De mauvais goût... et de luxe criard, interrompit madame de Lavardens.

— Pas du tout, maman, pas du tout!... Rien de criard, rien de tapageur... Des meubles admirables, des arrangements pleins de grâce et d'originalité... Une serre incomparable inondée de lumière électrique. Et le buffet installé dans la serre, sous une treille chargée de raisins ... au mois d'avril!... et on pouvait en cueillir à pleines mains![1] Les accessoires du cotillon[2] avaient, paraît-il, coûté quarante mille francs. Des bijoux, des bonbonnières, des bibelots délicieux... avec prière de les emporter. Moi, je n'ai rien pris; mais bien des gens ne s'en faisaient pas faute[3]... Puymartin, ce soir-là, m'a raconté l'histoire de madame Scott... seulement ce n'était pas tout à fait l'histoire de M. de Larnac... Roger m'a dit que madame Scott avait été enlevée toute petite par des saltimbanques et que son père l'avait retrouvée faisant de la voltige dans un cirque ambulant, bondissant par-dessus des banderoles et traversant des cerceaux de papier[4]...

— Une écuyère! s'écria madame de Lavardens, j'aimais encore mieux la mendiante!

— Et pendant que Roger me racontait ce roman du *Petit Journal*,[1] je voyais venir, du fond d'une galerie, l'écuyère du cirque forain,[2] dans un merveilleux fouillis de satin et de dentelles, et j'admirais ces épaules, ces éblouis- santes épaules, sur lesquelles ondulait un collier de dia- 5 mants gros comme des bouchons de carafe. On disait que le ministre des finances [3] avait vendu secrètement à madame Scott la moitié des diamants de la couronne et que c'était ainsi qu'il avait eu, le mois précédent, quinze millions d'ex- cédent sur le budget. Ajoutez à cela, s'il vous plaît, qu'elle 10 avait fort grand air, la petite saltimbanque, et qu'elle était tout à fait à son aise dans ces splendeurs.

Paul était si bien lancé, que sa mère dut l'arrêter. De- vant M. de Larnac fort dépité, il laissait trop naïvement éclater sa satisfaction d'avoir pour voisine cette miracu- 15 leuse Américaine.

L'abbé Constantin se préparait à reprendre le chemin de Longueval; mais Paul, en le voyant sur le point de partir:

— Oh! non, non, monsieur l'abbé, vous n'allez pas faire une seconde fois à pied, par une telle chaleur, la route de 20 Longueval. Permettez-moi de vous reconduire en voiture. Cela me fait beaucoup de peine de vous voir ainsi dans le chagrin. Je veux essayer de vous distraire. Oh! vous avez beau être un saint,[4] je vous fais rire quelquefois avec mes folies. 25

Une demi-heure après, tous deux, le curé et Paul, rou- laient côte à côte dans la direction du village. Paul parlait, parlait, parlait! Sa mère n'était plus là pour le calmer et pour le modérer. Sa joie était débordante.

— Non, voyez-vous, monsieur l'abbé, vous avez tort de 30 prendre les choses au tragique [5]... Tenez, regardez ma petite jument, comme elle trotte! comme elle lève les

pattes![1] Vous ne la connaissiez pas. Savez-vous ce que
je l'ai payée? Quatre cents francs. Je l'ai dénichée, il
y a quinze jours, dans les brancards d'une charrette de
maraîcher. Une fois que c'est bien dans son train, ça
5 vous fait quatre lieues à l'heure, et on en a plein les mains,
tout le temps.[2] Regardez, regardez, donc comme elle tire!
comme elle tire!... Allons! tôt![3] tôt! tôt!... Rien ne
vous presse, n'est-ce pas, monsieur l'abbé? Voulez-vous
rentrer par les bois? Ça vous fera du bien de prendre un
10 peu l'air... Si vous saviez, monsieur l'abbé, comme j'ai de
l'affection pour vous...et du respect!... Je n'ai pas dit
trop de bêtises, tout à l'heure, devant vous? C'est que [4]
je serais si fâché!...

— Non, mon enfant, je n'ai rien entendu.

15 — Alors nous prenons le chemin des écoliers.[5]

Après s'être jeté à gauche, sous bois, Paul revint à sa
première phrase:

— Je vous disais donc, monsieur l'abbé, que vous aviez
tort de prendre ainsi les choses tragiquement. Voulez-vous
20 que je vous dise ce que je pense? C'est très heureux ce
qui vient d'arriver.

— Très heureux?

— Oui, très heureux... J'aime mieux les Scott à Longueval que les Gallard. Ne l'avez-vous pas entendu tout
25 à l'heure, M. de Larnac, oser leur reprocher de dépenser
follement leur argent? Il n'est jamais fou de dépenser son
argent. Ce qui est fou, c'est de le garder. Vos pauvres,
— car, j'en suis bien sûr, c'est surtout à vos pauvres
que vous pensez, — eh bien, vos pauvres ont fait aujour-
30 d'hui une bonne journée. Voilà mon opinion. La religion?...oui, la religion... Ils n'iront pas à la messe!...
cela vous fait du chagrin, c'est tout naturel, mais ils vous

enverront de l'argent, beaucoup d'argent...et vous le prendrez, et vous aurez bien raison. Vous voyez bien que vous ne dites pas non. Ça va être une pluie d'or sur tout le pays... Un mouvement! un tapage! des voitures à quatre chevaux, des postillons poudrés, des *rallye-papers*, des chasses à courre,[1] des bals, des feux d'artifice... Et là, dans ce bois, dans cette allée où nous sommes, je retrouverai peut-être Paris avant qu'il soit longtemps. J'y reverrai les deux amazones et les deux petits grooms dont je parlais tout à l'heure. Si vous saviez comme elles sont gentilles à cheval, les deux sœurs! Un matin, j'ai fait, derrière elles, tout le tour du bois de Boulogne, à Paris. Je les vois encore. Elles avaient des chapeaux gris à haute forme,[2] de petits voiles noirs bien plaqués sur la figure et deux grandes amazones sans taille, avec une seule couture qui suivait la ligne du dos...et il faut que des femmes soient fièrement bien faites [3] pour porter des amazones comme ça!...

Le curé, depuis quelques instants, ne donnait plus aucune attention aux discours de Paul. La voiture était engagée dans une allée assez longue et parfaitement droite. Au bout de cette allée, le curé voyait venir un cavalier au galop.

— Regardez donc, dit le curé à Paul, regardez donc. Vous avez de meilleurs yeux que moi. Est-ce que ce n'est pas Jean, là-bas?

— Mais oui, c'est Jean. Je reconnais sa jument grise.

Paul aimait les chevaux et, toujours, avant de regarder le cavalier, regardait le cheval. En effet, c'était Jean; et, en apercevant de loin le curé et Paul, il agita en l'air son képi,[4] qui portait deux galons d'or. Jean était lieutenant au régiment d'artillerie en garnison à Souvigny.

Quelques instants après, il s'arrêtait près de la petite voiture, et, s'adressant au curé :

— Je viens de chez vous,[1] mon parrain, et Pauline m'a dit que vous étiez allé à Souvigny, pour la vente. Eh bien, qui l'a acheté, le château?

— Une Américaine, madame Scott.

— Et Blanche-Couronne?

— La même madame Scott.

— Et la Rozaraie?

— Encore madame Scott.

— Et la forêt...toujours madame Scott?

— Tu l'as dit, répliqua Paul... Et je la connais, madame Scott...et on va s'amuser à Longueval... Je te présenterai... Seulement ça fait de la peine à[2] M. l'abbé ...parce que c'est une Américaine, une protestante.

—Ah? c'est vrai, mon pauvre parrain... Enfin nous causerons de tout cela demain. J'irai dîner avec vous, j'ai prévenu Pauline. Je n'ai pas le temps de m'arrêter, je suis de semaine,[3] et il faut que je sois au quartier à trois heures.

— Pour la botte?[4] dit Paul.

— Oui, pour la botte... Au revoir, Paul!... A demain, mon parrain!

Le lieutenant d'artillerie reprit le galop; Paul rendit la main à son petit cheval.[5]

— Ce Jean, dit Paul, quel brave garçon![6]

—Oh! oui.

— Il n'y a rien de meilleur au monde que Jean!

— Non, rien de meilleur!

Le curé se retourna pour voir encore Jean, qui se perdait déjà dans la profondeur du bois.

— Oh! si,[7] il y a vous, monsieur l'abbé.

— Non, pas moi, pas moi.

— Eh bien, voulez-vous que je vous dise, monsieur l'abbé? il n'y a rien de meilleur au monde que vous deux, vous et Jean. La voilà, la vérité!... Oh! tenez, le bon terrain pour trotter![1] Je vais laisser marcher Niniche[2] Je l'ai appelée Niniche.

Paul, de la pointe de son fouet, caressa le flanc de Niniche, qui se mit à trotter d'un train d'enfer,[3] et Paul, tout joyeux:

— Mais regardez donc comme elle lève les pattes,[4] monsieur l'abbé! regardez donc comme elle lève les pattes! Et si régulière!... Une vraie mécanique... Penchez-vous pour voir.

L'abbé, pour faire plaisir à Paul, se pencha un peu pour voir *comme Niniche levait les pattes*... Mais il pensait à autre chose.

II

Ce lieutenant d'artillerie s'appelait Jean Reynaud. C'était le fils du médecin de campagne qui reposait dans le cimetière de Longueval. Lorsque l'abbé Constantin vint prendre, en 1846, possession de sa petite cure, un docteur Reynaud, le grand-père de Jean, était installé dans une riante maisonnette, sur la route de Souvigny, entre les deux châteaux de Longueval et de Lavardens.

Marcel, le fils de ce docteur Reynaud, terminait à Paris ses études de médecine. C'était un grand travailleur, d'une rare distinction d'esprit. Il fut reçu le premier au concours d'agrégation.[5] Il était résolu à rester à Paris à y tenter la fortune...et tout déjà lui promettait la plus heureuse et la plus brillante carrière, quand il reçut, en

1852, la nouvelle de la mort de son père, frappé d'une attaque d'apoplexie. Marcel accourut à Longueval, le cœur déchiré. Il adorait son père. Il passa un mois auprès de sa mère, et, au bout de ce temps, parla de la
5 nécessité de son retour à Paris.

— C'est vrai, lui dit-elle, il faut que tu partes.

— Comment! que je parte?... Que nous partions. Est-ce que tu crois que je vais te laisser ici toute seule?... Je t'emmène.

10 — Aller vivre à Paris!... Quitter ce pays où je suis née, où ton père a vécu, où il est mort!... Jamais je ne pourrai, mon enfant, jamais! Pars seul, puisque ta vie et ton avenir sont là-bas. Je te connais. Je sais que tu ne m'oublieras pas, que tu viendras me voir souvent, très
15 souvent.

— Non, ma mère, répondit-il, je resterai.

Il resta... Ses espérances, ses ambitions, tout, en une minute, s'évanouit, disparut... Il ne vit plus qu'une chose: le devoir, qui était de ne pas abandonner sa mère
20 âgée et souffrante. Dans ce devoir simplement accepté et simplement accompli, il trouva le bonheur. D'ailleurs, au bout du compte,[1] ce n'est guère que dans le devoir que se trouve le bonheur.

Marcel se plia de bonne grâce et de bon cœur à son ex-
25 istence nouvelle. Il continua la vie de son père, reprenant le sillon à la place même où celui-ci l'avait quitté... Il se donna tout entier, sans regrets et sans arrière-pensée, à cette obscure profession de médecin de village. Son père lui avait laissé un peu d'argent, un peu de terre. Il vivait
30 le plus simplement du monde, et la moitié de sa vie appartenait aux pauvres gens, de qui jamais il ne voulut recevoir un sou. C'était son seul luxe.

Une jeune fille se trouva sur son chemin, sans fortune, charmante et seule au monde. Il l'épousa. Cela se passait en 1855, et l'année suivante réservait au docteur Reynaud une grande douleur et une grande joie: la mort de sa vieille mère et la naissance de son fils Jean.

A six semaines d'intervalle, l'abbé Constantin récita les prières des morts sur la tombe de la grand'mère et assista, en qualité de parrain, au baptême du petit-fils.

A force de se rencontrer au chevet de ceux qui souffraient et de ceux qui mouraient, le prêtre et le médecin, du même cœur et du même mouvement, avaient été attirés et portés l'un vers l'autre. Ils s'étaient sentis de la même famille, de la même race, de la race des tendres, des justes et des bienfaisants.

Les années succédèrent aux années, calmes, douces, tranquilles, dans les pleines satisfactions du travail et du devoir. Jean grandissait... Il prit avec son père ses premières leçons d'orthographe, avec le curé ses premières leçons de latin. Jean était intelligent et laborieux; il fit de tels progrès, que les deux professeurs — le curé surtout — se trouvèrent, au bout de quelques années, un peu embarrassés. Leur élève devenait beaucoup trop fort pour eux. C'est à ce moment que la comtesse, après la mort de son mari, vint s'établir à Lavardens. Elle amenait un précepteur pour son fils Paul, lequel était un très gentil, mais très paresseux petit bonhomme. Les deux enfants étaient du même âge; ils se connaissaient depuis leurs plus jeunes années.

Madame de Lavardens aimait beaucoup le docteur Reynaud; elle lui fit un jour une proposition:

— Envoyez-moi Jean tous les matins, lui dit-elle, je vous le renverrai tous les soirs. Le précepteur de Paul est

un jeune homme très distingué; il fera travailler nos deux
enfants... Tout sera pour le mieux. Jean donnera le
bon exemple à Paul.

Les choses furent ainsi réglées; et le petit bourgeois
5 donna, en effet, au petit gentilhomme d'excellents exemples de travail et d'application; mais ces excellents
exemples ne furent pas suivis.

La guerre éclata. Le 14 novembre, à sept heures du
matin, les mobilisés [1] de Souvigny se réunissaient sur la
10 grande place de la ville; ils avaient pour aumônier l'abbé
Constantin, pour chirurgien-major le docteur Reynaud.
La même idée leur était venue en même temps à tous les
deux; le prêtre avait soixante-deux ans, et le médecin
cinquante.

15 Le bataillon, au départ, suivit la route qui traversait
Longueval et qui passait devant la maison du docteur.
Madame Reynaud et Jean attendaient sur le bord du
chemin. L'enfant se jeta dans les bras de son père:
"Emmène-moi, papa, emmène-moi!" Madame Reynaud
20 pleurait. Le docteur les embrassa longuement tous les
deux, puis il continua son chemin.

La route, à cent pas de là, faisait un coude. Le docteur se retourna, jeta sur sa femme et sur son fils un long
regard...le dernier! Il ne devait plus les revoir.[2]

25 Le 8 janvier 1871, les mobilisés de Souvigny attaquaient
le village de Villersexel occupé par les Prussiens, qui
avaient crénelé les murs et s'étaient barricadés dans
les maisons. La fusillade éclata. Un mobilisé qui
marchait au premier rang reçut une balle en pleine
30 poitrine et tomba. Il y eut un moment de trouble
et d'hésitation. "En avant! en avant!" crièrent les
officiers. Les hommes passèrent par-dessus le corps

de leur camarade, et, sous une grêle de balles, entrèrent
dans le village.

Le docteur Reynaud et l'abbé Constantin marchaient
avec les troupes. Ils s'arrêtèrent près du blessé. Le sang
lui sortait à flots par la bouche. 5

— Rien à faire, dit le docteur; il se meurt,[1] il est à vous.

Le prêtre s'agenouilla près du mourant et le docteur,
se relevant, s'en alla du côté du village. Il n'avait pas fait
dix pas, qu'il s'arrêtait, battait l'air de ses deux bras [2] et
tombait d'un seul coup par terre. Le prêtre courut à lui. 10
Il était mort, tué net [3] par une balle dans la tempe.

Le soir, le village était à nous, et, le lendemain, on dé-
posait dans le cimetière de Villersexel le corps du docteur
Reynaud. Deux mois après, l'abbé Constantin ramenait
à Longueval le cercueil de son ami, et derrière ce cercueil, 15
à la sortie de l'église, marchait un orphelin. Jean avait
aussi perdu sa mère. A la nouvelle de la mort de son mari,
elle était restée pendant vingt-quatre heures anéantie, écra-
sée, sans une parole, sans une larme. Puis la fièvre l'avait
prise, puis le délire, puis, au bout de quinze jours,[4] la mort. 20

Jean se trouvait seul au monde. Il avait quatorze ans.
De cette famille, où tous, depuis un siècle, avaient été bons
et honnêtes, il ne restait plus qu'un enfant agenouillé sur
une tombe et qui promettait, lui aussi, d'être ce qu'avait
été son grand-père et ce qu'avait été son père, honnête et 25
bon. Il y a de ces familles-là, en France, et beaucoup, et
beaucoup plus qu'on n'ose le dire; notre pauvre pays est
en bien des points cruellement calomnié par certains ro-
manciers, qui en font des peintures violentes et outrées.[5]
Il est vrai que l'histoire des braves gens est le plus souvent 30
monotone ou douloureuse. Ce récit en est la preuve.

La douleur de Jean fut une douleur d'homme. Long-

temps il resta triste et longtemps silencieux. Le soir de
l'enterrement de son père, l'abbé Constantin l'emmena
avec lui au presbytère. La journée avait été pluvieuse et
froide. Jean s'était assis au coin du feu. Le prêtre lisait
5 son bréviaire. La vieille Pauline allait et venait, ran-
geant. Une heure s'était passée sans une parole, lorsque
Jean, tout à coup, levant la tête:

— Mon parrain, dit-il, mon père m'a laissé de l'argent?

Cette question était tellement étrange, que l'abbé,
10 stupéfait, crut avoir mal entendu.

— Tu me demandes si ton père?...

— Je vous demande, mon parrain, si mon père m'a
laissé de l'argent?

— Oui, il a dû te laisser[1] de l'argent...

15 — Beaucoup, n'est-ce pas? J'ai souvent entendu dire
dans le pays que mon père était riche. Dites-moi à peu
près ce qu'il a dû me laisser.

— Mais je ne sais... Tu me demandes là des choses...

Le pauvre prêtre se sentait l'âme déchirée. Une telle
20 question dans un tel moment! Il croyait cependant connaître le cœur de Jean, et, dans ce cœur, il ne devait pas
y avoir place[2] pour de semblables pensées.

— Je vous en prie, mon parrain, dites-le moi,...con-
tinua Jean doucement. Je vous expliquerai après pour-
25 quoi je vous demande cela.

— Eh bien, ton père avait, dit-on, deux ou trois cent
mille francs.

— Et c'est beaucoup d'argent?

— Oui, c'est beaucoup d'argent.

30 — Et tout cet argent est à moi?

— Oui, tout cet argent est à toi.

— Ah! tant mieux, parce que, le jour où mon père a été

tué là-bas pendant la guerre, les Prussiens ont tué, en
même temps que lui, le fils d'une pauvre femme de Longueval...la mère Clément, vous savez? Ils ont tué aussi le
frère de Rosalie, avec qui je jouais quand j'étais tout petit.
Eh bien, puisque je suis riche et puisqu'elles sont pauvres, 5
je veux partager avec la mère Clément et avec Rosalie l'argent que m'a laissé mon père.

En entendant ces paroles, le curé se leva, prit les deux
mains de Jean et, l'attirant à lui, l'entoura de ses bras. La
tête blanche vint s'appuyer sur la tête blonde. Deux 10
grosses larmes se détachèrent des yeux du vieux prêtre,
roulèrent lentement sur ses joues et vinrent se glisser dans
les rides de son visage.

Cependant le curé dut expliquer à Jean que, s'il était le
possesseur de l'héritage de son père, il n'avait pas encore 15
le droit d'en disposer à son gré. Il allait avoir un conseil
de famille,[1] un tuteur.

— Vous, sans doute, mon parrain?

— Non, pas moi, mon enfant, un prêtre n'a pas le droit
d'exercer la tutelle. On choisira, je pense, M. Lenient, le 20
notaire de Souvigny, qui était un des meilleurs amis de ton
père. Tu lui parleras, tu lui diras ce que tu désires.

M. Lenient fut, en effet, désigné par le conseil de famille
pour remplir les fonctions de la tutelle. Les instances de
Jean furent si vives et si touchantes, que le notaire con- 25
sentit à prélever sur les revenus une somme de deux mille
quatre cents francs, qui fut, tous les ans, jusqu'à la majorité de Jean, partagée entre la mère Clément et la petite
Rosalie.

Madame de Lavardens, en cette circonstance, fut par- 30
faite.[2] Elle alla trouver l'abbé Constantin:

— Donnez-moi Jean, lui dit-elle, donnez-le-moi tout à

fait jusqu'à la fin de ses études. Je vous le ramènerai
tous les ans, pendant les vacances. Ce n'est pas un service que je vous rendrai, c'est un service que je vous demande. Je ne peux rien souhaiter de plus heureux pour
5 mon fils. Je me résigne à abandonner momentanément
Lavardens; Paul veut se faire soldat, entrer à Saint-Cyr.
Ce n'est qu'à Paris que je trouverai les maîtres et les
ressources nécessaires. J'y conduirai les deux enfants;
ils seront élevés ensemble, sous mes yeux, fraternellement.
10 Je ne ferai pas de différence entre eux, vous pouvez en
être persuadé.

Il était difficile de ne pas accepter une telle proposition.
Le vieux curé aurait bien voulu pouvoir garder Jean avec
lui, et son cœur se déchirait à la pensée de cette séparation;
15 mais où était l'intérêt de l'enfant? voilà ce qu'il fallait
uniquement se demander. Le reste n'était rien... On fit
venir Jean.

— Mon enfant, lui dit madame de Lavardens, veux-tu
venir avec moi et avec Paul pendant quelques années?
20 Je vous emmènerai tous les deux à Paris.

— Vous êtes bien bonne, madame, mais j'aurais tant
désiré pouvoir rester ici!

Il regardait le curé, qui détourna les yeux.

— Pourquoi partir? continua-t-il, pourquoi nous em-
25 mener, Paul et moi?

— Parce que ce n'est qu'à Paris que vous pourrez
achever sérieusement et utilement vos études. Paul se
préparera à ses examens de Saint-Cyr. Tu sais qu'il
veut se faire soldat.

30 — Et moi aussi, madame, je veux l'être.

— Toi, soldat? dit le curé, mais ce n'était pas dans les
idées de ton père... Bien souvent, en ma présence, ton

père a parlé de ton avenir, de ta carrière. Tu devais être
médecin, et, comme lui, médecin de campagne à Longueval...et, comme lui, assister les pauvres, et, comme
lui, soigner les malades. Jean, mon enfant, souviens-
toi. 5

— Je me souviens, je me souviens.

— Eh bien, alors, il faut faire ce que voulait ton père...
C'est ton devoir, Jean, c'est ton devoir. Il faut aller à
Paris. Tu voudrais rester ici, oh! cela, je le comprends...
et moi aussi, je voudrais bien... mais cela ne se peut 10
pas[1]... Il faut aller à Paris, travailler, bien travailler. Ce
n'est pas là ce qui m'inquiète, tu es bien le fils de ton père.
Tu seras un honnête homme et un homme laborieux. On
n'est guère l'un sans l'autre. Et, un jour, dans la maison
de ton père, à cette même place où il a fait tant de bien, 15
les pauvres gens de ce pays retrouveront un autre docteur
Reynaud qui, lui aussi, leur sera secourable. Et moi, si,
par hasard, je suis encore de ce monde, ce jour-là je serai si
heureux, si heureux!... Mais j'ai tort de parler de moi...
Je ne devrais pas...je ne compte pas moi... C'est à 20
ton père qu'il faut penser. Je te le répète, Jean, c'était
son vœu le plus cher. Tu ne peux pas l'avoir oublié.

— Non, je ne l'ai pas oublié; mais, si mon père me voit
et s'il m'entend, je suis sûr qu'il me comprend et qu'il me
pardonne, car c'est à cause de lui... 25

— A cause de lui?

— Oui, quand j'ai appris qu'il était mort et quand j'ai
su comment il était mort, tout de suite, sans avoir besoin
de réfléchir, je me suis dit que je serais soldat...et je
serai soldat!... Mon parrain, et vous, madame, je vous 30
en prie, ne m'empêchez pas...

L'enfant fondit en larmes, dans une véritable crise de

désespoir. La comtesse et l'abbé l'apaisèrent avec de
douces paroles.

— Oui...oui...c'est entendu...tout ce que tu voudras, tout ce que tu voudras...

5   Tous deux avaient la même pensée: laissons faire le
temps.[1] Jean n'est encore qu'un enfant; il changera
d'avis. En quoi tous deux se trompaient: Jean ne
changea pas d'avis.

Au mois de septembre 1876, Paul fut refusé à Saint-Cyr
10 et Jean reçu le onzième à l'École polytechnique.[2] Le jour
où la liste des candidats admis fut publiée, il écrivit à
l'abbé Constantin:

"Je suis reçu et trop bien reçu, car je veux sortir dans
l'armée,[3] et non dans les services civils... Enfin, si je
15 garde mon rang à l'École, cela fera l'affaire[4] d'un de mes
camarades. Il aura ma place."

Ce qui arriva... Jean fit mieux que garder son rang.
Le classement de sortie[5] lui donna le numéro sept...
Mais, au lieu d'entrer à l'École des ponts et chaussées,[6]
20 il entra à l'École d'application de Fontainebleau,[7] en
1878... Il venait d'avoir vingt et un ans. Il était majeur,
maître de sa fortune, et le premier acte de son administration fut une grosse, très grosse dépense. Il acheta,
pour la mère Clément et pour la petite Rosalie devenue
25 grande,[8] deux titres de rente[9] de quinze cents francs chacun. Cela lui coûta soixante-dix mille francs.

Deux ans après, Jean sortait le premier de l'École de
Fontainebleu, ce qui lui donnait le droit de choisir parmi
les places vacantes. Il y en avait une dans le régiment
30 caserné à Souvigny; et Souvigny était à trois kilomètres
de Longueval. Jean demanda la place et l'obtint.

Voilà comment Jean Reynaud, lieutenant au 9e régiment d'artillerie, vint, au mois d'octobre 1880, reprendre possession de la maison du docteur Marcel Reynaud. Voilà comment il se retrouva dans ce pays, où s'était écoulée son enfance et où tout le monde avait gardé le souvenir de la vie et de la mort de son père. Voilà comment cette joie ne fut pas refusée à l'abbé Constantin de revoir le fils de son ami... Et, s'il faut tout dire, il n'en voulait plus à Jean de ne pas s'être fait médecin. Quand le vieux curé sortait de son église, après sa messe dite, quand il voyait flotter sur la route un nuage de poussière, quand il entendait trembler la terre, sous le roulement des canons... Il s'arrêtait et, comme un enfant, prenait plaisir à voir passer le régiment... Mais le régiment, pour lui, c'était Jean! C'était ce robuste et solide cavalier, sur les traits duquel se lisaient ouvertement la droiture, le courage et la bonté.

Jean, du plus loin qu'il apercevait le curé, mettait son cheval au galop et venait causer un peu avec son parrain. Le cheval de Jean tournait la tête vers le curé, car il savait bien qu'il y avait toujours un morceau de sucre pour lui dans la poche de cette vieille soutane noire, usée et rapiécée, la soutane du matin. L'abbé en avait une belle, toute neuve et qu'il ménageait...pour aller dans le monde...quand il allait dans le monde.

Les trompettes du régiment sonnaient pendant la traversée du village... et tous les regards cherchaient Jean, le petit Jean. Car, pour les vieux de Longueval, il était resté le *petit Jean.* Certain paysan tout ridé, tout cassé, n'avait jamais pu se défaire de l'habitude de le saluer, quand il passait, d'un "Eh! bonjour, gamin, ça va bien?"[1] Il avait six pieds de haut, ce gamin.

Et Jean ne traversait jamais le village sans apercevoir, à deux fenêtres, la vieille figure parcheminée[2] de la mère

Clément et le visage souriant de Rosalie. Cette dernière,
l'année précédente, s'était mariée. Jean avait été son
témoin; et joyeusement, le soir de la noce, il avait dansé
avec les fillettes de Longueval.

5   Tel était le lieutenant d'artillerie qui, le samedi 28 mai
1881, vers cinq heures de l'après-midi, mit pied à terre
devant la porte du presbytère de Longueval. Il entra;
son cheval docilement le suivit et alla de lui-même se
placer sous un petit hangar dans la cour. Pauline était
10 à la fenêtre de la cuisine, au rez-de-chaussée... Jean
s'approcha et l'embrassa de tout son cœur, sur les deux
joues.

— Bonjour, ma bonne Pauline, ça va bien?

— Très bien... Je m'occupe de ton dîner... Veux-tu
15 savoir ce que tu auras? De la soupe aux pommes de
terre, un gigot et des œufs au lait [1]...

— C'est admirable! J'adore tout cela et je meurs de
faim.

— Et de la salade que j'oubliais, même que [2] tu m'ai-
20 deras tout à l'heure à la cueillir, la salade. On dînera à
six heures et demie, bien exactement, parce que ce soir,
à sept heures et demie, M. le curé a son office du mois
de Marie.

— Où est-il, mon parrain?

25   — Dans le jardin... Il est bien triste, M. le curé, à
cause de cette vente d'hier.

— Oui, je sais, je sais...

— Ça va le remonter un peu de te voir. Il est si content quand tu es là! [3] Prends garde, Loulou va manger
30 les rosiers grimpants... Comme il a chaud, Loulou!

— J'ai fait le grand tour par les bois et j'ai marché
vite.

Jean rattrapa Loulou, qui se dirigeait vers les rosiers grimpants; il le débrida, le dessella, l'attacha sous le petit hangar, et, en un tour de main, avec un gros paquet de paille, le bouchonna.[1]   Après quoi, Jean entra dans la maison, se débarrassa de son sabre, remplaça son képi[2] par un vieux chapeau de paille de cinq sous et s'en alla retrouver le curé dans le jardin.

Il était fort triste, en effet, le pauvre abbé.   Il n'avait pas fermé l'œil de la nuit, lui qui, d'ordinaire, dormait si facilement, si doucement, d'un bon sommeil d'enfant.   Son âme était déchirée.   Longueval, aux mains d'une étrangère, d'une hérétique, d'une aventurière!   Jean répétait ce que Paul avait dit la veille:

— Vous aurez de l'argent, beaucoup d'argent pour vos pauvres.

— De l'argent! de l'argent!... Oui, mes pauvres n'y perdront rien, ils y gagneront peut-être... Mais, cet argent, il faudra que j'aille le demander, et, dans le salon, au lieu de ma vieille et chère amie, je trouverai cette Américaine aux cheveux rouges, — il paraît qu'elle a des cheveux rouges! — J'irai certainement pour mes pauvres, j'irai... Et elle m'en donnera, de l'argent, mais elle ne me donnera que de l'argent.   La marquise donnait autre chose.   Elle donnait de sa vie et de son cœur... Nous allions ensemble, chaque semaine, visiter les pauvres et les malades.   Elle connaissait toutes les souffrances et toutes les misères du pays.   Et, quand j'étais cloué par la goutte dans mon fauteuil, elle faisait la tournée toute seule, et aussi bien, et mieux que moi.

Pauline vint interrompre cette conversation... Elle arrivait portant un immense saladier de faïence, où s'épanouissaient violentes et criardes, de grosses fleurs rouges.

— Me voilà, dit Pauline, je viens cueillir la salade...
Jean, veux-tu de la romaine ou de la petite chicorée?

— De la petite chicorée, répondit Jean gaiement... Il
y a longtemps que [1] je n'en ai mangé, de la petite chicorée.

5   — Eh bien, tu en auras ce soir... Tiens, prends le
saladier...

Pauline se mit à couper sa petite chicorée et Jean se
penchait pour recevoir les feuilles dans le grand saladier.
Le curé les regardait faire.

10   En ce moment, un bruit de grelots se fit entendre. Une
voiture approchait, qui sonnait un peu la ferraille [2]... Le
jardinet de l'abbé Constantin n'était séparé de la route
que par une haie très basse, à hauteur d'appui, au milieu
de laquelle se trouvait une petite porte à claire-voie.[3]

15   Tous les trois regardèrent et virent venir une calèche
de louage [4] de forme primitive, attelée de deux gros chevaux blancs et conduite par un vieux cocher en blouse. A
côté de ce vieux cocher, se tenait un grand domestique en
livrée, de la plus sévère et de la plus parfaite correction.

20 Dans la voiture deux jeunes femmes, portant toutes deux
le même costume de voyage, très élégant, mais très simple.

Quand la voiture se trouva devant la haie du jardin le
cocher arrêta les chevaux et, s'adressant à l'abbé:

— Monsieur le curé, dit-il, c'est des dames qui vous
25 demandent.

Puis, se tournant vers ses clientes:

— Le voilà, ajouta-t-il, M. le curé de Longueval.

L'abbé Constantin s'était approché et avait ouvert sa
petite porte. Les voyageuses descendirent. Leurs re-
30 gards s'arrêtèrent, non sans un peu d'étonnement, sur ce
jeune officier qui se trouvait là, un peu empêtré, son
chapeau de paille dans la main droite et dans la main

"TIENS, PRENDS LE SALADIER . . ."

gauche son grand saladier tout débordant de petite chicorée.

Les deux femmes entrèrent dans le jardin... et la plus
âgée, — elle paraissait avoir vingt-cinq ans, — s'adressant
à l'abbé Constantin, lui dit avec un petit accent étranger,   5
très original et très particulier:

— Je suis donc obligée, monsieur le curé, de me présenter moi-même?... Madame Scott. Je suis madame
Scott. C'est moi qui, hier, ai acheté le château... et la
ferme... et le reste tout autour. Je ne vous dérange pas,   10
au moins,[1] et vous pouvez me donner cinq minutes?

Puis, désignant sa compagne de voyage:

— Miss Bettina Percival... ma sœur, vous l'avez de-
viné, je pense?... Nous nous ressemblons beaucoup,
n'est-ce pas!...—Ah! Bettina... Nous avons oublié dans   15
la voiture nos deux petits sacs... et nous en aurons besoin.

— Je vais les prendre.

Et, comme miss Percival se préparait à aller chercher
les deux petits sacs, Jean lui dit:

— Je vous en[2] prie, mademoiselle, permettez-moi...   20

— Je suis vraiment bien fâchée, monsieur, de vous donner cette peine... Le domestique vous les remettra...
Ils sont sur la banquette de devant.[3]

Elle avait le même accent que sa sœur, les mêmes grands
yeux noirs, riants et gais, et les mêmes cheveux, — non pas   25
rouges, — mais blonds, avec des reflets dorés où délicatement se jouait la lumière du soleil. Elle salua Jean avec
un joli sourire, et celui-ci ayant remis à Pauline le saladier
de chicorée, s'en alla chercher les deux petits sacs.

Pendant ce temps, très ému, très troublé, l'abbé Con-   30
stantin introduisait dans le presbytère la nouvelle châtelaine de Longueval.

III

Ce n'était pas un palais, le presbytère de Longueval. La même pièce, au rez-de-chaussée, servait de salon et de salle à manger, communiquant directement avec la cuisine par une porte toujours grande ouverte; cette pièce était garnie du mobilier le plus sommaire:[1] deux vieux fauteuils, six chaises de paille, un dressoir, une table ronde. Déjà, sur cette table, Pauline avait mis les deux couverts[2] de l'abbé et de Jean.

Madame Scott et miss Percival allaient et venaient, examinant avec une sorte de curiosité enfantine l'installation du curé.

— Mais le jardin, la maison, tout est charmant, disait madame Scott.

Elles entrèrent toutes deux résolument dans la cuisine. L'abbé Constantin les suivait, suffoqué, stupéfait, effaré devant la brusquerie et la soudaineté de cette invasion américaine. La vieille Pauline, d'un air inquiet et sombre, regardait les deux étrangères.

— Les voilà donc, se disait-elle, ces hérétiques, ces damnées![3]

Et, de ses mains agitées, tremblantes, elle continuait machinalement à éplucher sa chicorée.

— Je vous fais tous mes compliments, mademoiselle, lui dit Bettina, votre petite cuisine est si bien tenue!... Regardez, Suzie, n'est-ce pas tout à fait le presbytère que vous désiriez?

— Et aussi le curé, continua madame Scott. Ah! oui, monsieur le curé, voulez-vous me laisser vous dire cela? Si vous saviez comme je suis heureuse que vous soyez tel que vous êtes!... En chemin de fer, ce matin... — Bettina, qu'est-ce que je vous disais? et encore tout à l'heure, en voiture?

— Ma sœur me disait, monsieur le curé, que ce qu'elle désirait par-dessus tout, c'était un curé pas jeune, pas triste, pas sévère, un curé à cheveux blancs, avec l'air bon et doux.

— Et vous êtes absolument ainsi, monsieur le curé, absolument. Non, nous ne pouvions pas trouver mieux. Excusez-moi, je vous en prie, de vous parler de la sorte. Les Parisiennes savent très bien [1] tourner leurs phrases, d'une manière adroite et compliquée. Moi, je ne sais pas ...et j'aurais, en parlant français, beaucoup de peine à me tirer d'affaire,[2] si je ne disais les choses tout simplement, tout bêtement, comme elles me viennent. Enfin, je suis contente, très contente, et j'espère que vous aussi, monsieur le curé, vous serez content, très content de vos nouvelles paroissiennes.

— Mes paroissiennes! dit le curé, retrouvant la parole, le mouvement, la vie, toutes choses qui, depuis quelques minutes, l'avaient complètement abandonné. Mes paroissiennes! Pardonnez-moi, madame, mademoiselle... j'ai une telle émotion! Vous seriez [3]...vous êtes catholiques?

— Mais oui, nous sommes catholiques.

— Catholiques... catholiques? répéta le curé.

— Catholiques... catholiques! s'écria la vieille Pauline, qui apparut épanouie, radieuse, les bras au ciel, sur le seuil de sa cuisine.

Madame Scott regardait le curé, regardait Pauline, fort étonnée d'avoir avec un seul mot produit un tel effet. Et, pour compléter le tableau, Jean se montra, apportant les deux petits sacs de voyage. Le curé et Pauline le saluèrent de la même phrase:

— Catholiques! catholiques!

— Ah! je comprends, dit madame Scott en riant, c'est notre nom, notre pays! Vous avez cru que nous étions protestantes. Pas du tout; notre mère était une Cana-
5 dienne d'origine française et catholique; voilà pourquoi, ma sœur et moi, nous parlons français, avec un peu d'accent, sans doute, et avec certaines formules américaines, mais enfin de manière à dire à peu près tout ce que nous voulons dire. Mon mari est protestant, mais il me laisse
10 une entière liberté, et mes deux enfants sont catholiques. C'est pour cela, monsieur l'abbé, que nous avons voulu, dès le premier jour, venir vous voir.

— Pour cela, continua Bettina... et pour autre chose ... Mais, pour cette autre chose, nos petits sacs sont
15 tout à fait nécessaires.

— Les voici, mademoiselle, répondit Jean.

— Celui-ci est le mien.

— Et voici le mien.

Pendant que les petits sacs passaient des mains de l'offi-
20 cier aux mains de madame Scott et de Bettina, le curé présentait Jean aux deux Américaines; mais il était encore dans un tel émoi que la présentation ne fut pas tout à fait dans les règles.[1] Le curé n'oublia guère qu'une chose, et une chose fort essentielle dans une présentation: le
25 nom de famille de Jean.

— C'est Jean, dit-il, mon filleul, lieutenant au régiment d'artillerie en garnison à Souvigny. Il est de la maison.[2]

Jean fit deux grands saluts; les Américaines, deux petits; après quoi, elles se mirent à fourrager dans leurs
30 sacs et en retirèrent chacune un rouleau de mille francs, gentiment enfermé dans des étuis verts en peau de serpent cerclés d'or.

— Je vous apportais ceci pour vos pauvres, monsieur le curé, dit madame Scott.

— Et moi ceci, dit Bettina.

Délicatement elles glissèrent leur offrande dans la main droite et dans la main gauche du vieux curé, et celui-ci, 5 regardant alternativement sa main droite et sa main gauche, se disait:

— Qu'est-ce que c'est que ces deux petites choses-là? C'est bien lourd. Il doit y avoir[1] de l'or là dedans... Oui mais combien? combien? 10

Il avait soixante-douze ans, l'abbé Constantin, et beaucoup d'argent lui avait passé par les mains, pour n'y pas rester longtemps, il est vrai; mais cet argent lui était venu par petites sommes, et le soupçon d'une telle offrande ne pouvait lui entrer dans la tête. Deux mille francs! Ja- 15 mais il n'avait eu deux mille francs en sa possession, ni même jamais mille.

Donc, ne sachant pas ce qu'on lui donnait, le curé ne savait comment remercier. Il balbutiait:

— Je vous suis bien reconnaissant, madame; vous êtes 20 bien bonne, mademoiselle.

Enfin il ne remerciait pas assez. Jean crut devoir intervenir.

— Mon parrain, ces dames viennent de vous donner deux mille francs. 25

Alors, saisi d'émotion et de reconnaissance, le curé s'écria:

— Deux mille francs! deux mille francs pour mes pauvres!

Pauline fit brusquement une nouvelle apparition.

— Deux mille francs! deux mille francs! 30

— Il paraît, dit le curé, il paraît... Tenez, Pauline, serrez cet argent et faites attention...

Elle était bien des choses au logis, la vieille Pauline,
servante, cuisinière, pharmacienne, trésorière. Ses mains
reçurent avec un tremblement respectueux ces deux petits
rouleaux d'or qui représentaient tant de misères adoucies,
5 tant de douleurs diminuées.

— Ce n'est pas tout, monsieur le curé, dit madame
Scott, je vous donnerai cinq cents francs tous les mois.

— Et je ferai comme ma sœur.

— Mille francs par mois! Mais alors il n'y aura plus
10 de pauvres dans le pays.

— C'est bien ce que nous désirons. Je suis riche, très
riche... et ma sœur aussi! elle est même plus riche que
moi... parce qu'une jeune fille a de la peine à beaucoup
dépenser... tandis que moi... Ah! moi!... tout ce que
15 je peux, je dépense tout ce que je peux! Quand on a
beaucoup d'argent, quand on a trop d'argent, quand on
en a plus que cela n'est juste,[1] dites, monsieur l'abbé, pour
se le[2] faire pardonner, y a-t-il d'autre moyen que de toujours avoir les mains grandes ouvertes et de donner, de
20 donner, de donner le plus possible et le mieux possible?
D'ailleurs, vous aussi, vous allez me donner quelque chose.
Et, s'adressant à Pauline:

— Vous seriez bien bonne,[3] mademoiselle, de m'apporter
un verre d'eau fraîche. Non, pas autre chose... un verre
25 d'eau fraîche... je meurs de soif.

— Et moi, dit en riant Bettina, pendant que Pauline
courait chercher le verre d'eau, je meurs d'autre chose,
c'est de faim que je meurs... Monsieur le curé... cela,
je le sais, est affreusement indiscret... Mais je vois que
30 votre couvert est mis[4]... Est-ce que vous ne pourriez
pas nous inviter à dîner?

— Bettina! dit madame Scott.

—Laissez donc,[1] Suzie, laissez donc... N'est-ce pas, monsieur le curé, vous voulez bien?

Mais il ne trouvait rien à répondre, le vieux curé. Il ne savait plus du tout, plus du tout où il en [2] était. Elles prenaient d'assaut son presbytère! Elles étaient catho- 5 liques! Elles lui apportaient deux mille francs! Elles lui promettaient mille francs tous les mois! Et elles voulaient dîner chez lui! Ah! cela, c'était le dernier coup! l'épou- vante le prenait à la pensée d'avoir à faire les honneurs de son gigot et de ses œufs au lait à ces deux Américaines 10 follement riches, qui devaient se nourrir de choses extraor- dinaires, fantastiques, inusitées. Il murmurait:

— A dîner!... à dîner!... vous voudriez dîner ici?

Jean dut encore une fois intervenir.

— Mon parrain sera trop heureux, dit-il, si vous voulez 15 bien accepter; seulement, je vois ce qui l'inquiète... Nous devions dîner ensemble, tous les deux, et il ne faut pas, mesdames, vous attendre à un festin... Enfin vous serez indulgentes.

— Oui, oui, très indulgentes, répondit Bettina. 20

Puis, s'adressant à sa sœur:

— Voyons, Suzie, ne faites pas la moue [3] parce que j'ai été un peu... vous savez bien que c'est mon habitude d'être un peu... Restons, voulez-vous? Cela nous repo- sera de passer une heure ici bien tranquillement. Nous 25 avons eu une telle journée en chemin de fer... en voiture ... dans la poussière... dans la chaleur!... Nous avons fait un si affreux déjeuner ce matin dans un si affreux hôtel! ... Nous devions retourner dîner, à sept heures, dans ce même hôtel, pour reprendre, ensuite, le train de Paris... 30 Mais dîner ici sera réellement plus gentil. Vous ne dites plus non... Ah! que vous êtes bonne, ma Suzie!

Elle embrassa sa sœur très câlinement, très tendrement;
puis, se tournant vers le curé:

— Si vous saviez, monsieur le curé, comme elle est bonne!

— Bettina! Bettina!

5   — Allons, dit Jean, vite, Pauline! deux couverts. Je
vais t'aider.

— Et moi aussi, s'écria Bettina, moi aussi, je vais vous
aider. Oh! je vous en prie, cela m'amusera tant! —
Seulement, monsieur le curé, vous me permettrez de faire
10 un peu comme chez moi.¹

Lestement elle ôta son manteau d'abord, et Jean put
admirer, dans son exquise perfection, une taille mer-
veilleuse de souplesse et de grâce.

Miss Percival ensuite enleva son chapeau, mais avec
15 un peu trop de hâte; car ce fut le signal d'une ravissante
débâcle.² Toute une avalanche s'échappa et se répandit,
par torrents, en longues cascades, sur les épaules de
Bettina; elle se trouvait alors devant une fenêtre par où
entraient à flots les rayons du soleil... et cette lumière
20 d'or, venant frapper en plein³ sur cette chevelure d'or,
mettait dans un encadrement délicieux l'éclatante beauté
de la jeune fille. Confuse et rougissante, Bettina dut
appeler sa sœur à son secours et madame Scott eut beaucoup de peine à remettre un peu d'ordre dans ce désordre.

25 Lorsque la catastrophe fut enfin réparée, rien ne put
empêcher Bettina de se précipiter sur les assiettes, les
couteaux et les fourchettes.

— Mais, monsieur, disait-elle à Jean, je sais très bien
mettre le couvert. Demandez à ma sœur... — Dites,
30 Suzie, quand j'étais petite, à New-York, est-ce que je ne
mettais pas très bien le couvert?

— Oui, très bien, répondit madame Scott.

Et elle aussi, tout en priant le curé d'excuser l'indiscrétion de Bettina, elle aussi ôta son chapeau et son manteau, si bien que [1] Jean eut encore une fois le très agréable
spectacle d'une taille charmante et de cheveux admirables.
Mais la débâcle, et Jean le regretta, n'eut pas de seconde 5
représentation.

Quelques minutes après, madame Scott, miss Percival,
le curé et Jean prenaient place autour de la petite table
du presbytère; puis, très rapidement, grâce à la surprise
et à l'originalité de la rencontre, grâce surtout à la belle 10
humeur et à l'enjouement quelque peu audacieux de Bettina, la conversation prenait le tour de la plus franche et
de la plus cordiale familiarité.

— Vous allez voir, monsieur le curé, dit Bettina, vous
allez voir si j'ai menti, si je ne mourais pas de faim.   Je 15
vous préviens que je vais dévorer.   Je ne me suis jamais
mise à table avec tant de plaisir.   Ce dîner va si bien finir
notre journée!   Nous sommes tellement contentes, ma
sœur et moi, d'avoir ce château, ces fermes, cette forêt!

— Et d'avoir tout cela, continua madame Scott, d'une 20
façon si extraordinaire, si imprévue.   Nous nous y attendions si peu!

— Vous pouvez bien dire, Suzie, que nous ne nous y
attendions pas du tout... Sachez, monsieur l'abbé, que
c'était hier la fête de ma sœur... — Mais, d'abord, pardon 25
... monsieur... monsieur Jean, n'est-ce pas?

— Oui, mademoiselle, monsieur Jean.

— Eh bien, monsieur Jean, encore un peu de cette soupe
excellente, je vous en prie.

L'abbé Constantin commençait à se remettre, à se re- 30
trouver; mais il était, cependant, encore trop ému pour
accomplir correctement ses devoirs de maître de maison;

c'était Jean qui avait pris le gouvernement du modeste
dîner de son parrain. Il remplit donc jusqu'aux bords
l'assiette de cette ravissante Américaine, qui fixait résolument sur lui le regard de deux grands yeux, où étincelaient
5 la franchise, la hardiesse et la gaieté. Les yeux de Jean,
d'ailleurs, payaient miss Percival de la même monnaie. Il
n'y avait pas trois quarts d'heure que,[1] dans le jardin du
curé, la jeune Américaine et le jeune officier, pour la première fois, s'étaient adressé la parole,[2] et tous deux déjà
10 se sentaient, vis-à-vis l'un de l'autre, parfaitement à l'aise,
pleinement en confiance, presque en camaraderie.

— Je vous disais, monsieur le curé, reprit Bettina, que
c'était hier la fête de ma sœur, sa fête de naissance. Mon
beau-frère, il y a huit jours,[3] avait été obligé de partir
15 pour l'Amérique; mais, en s'en allant, il avait dit à ma
sœur: "Je ne serai pas ici le jour de votre fête, vous aurez
cependant de mes nouvelles." [4] Hier donc, il arriva des
cadeaux et des bouquets un peu de partout; [5] mais de
mon beau-frère, jusqu'à cinq heures, rien... rien. Nous
20 allons faire toutes les deux un tour au bois [6] à cheval... et,
à propos de cheval...

Elle s'arrêta et, se penchant un peu de côté, regarda
curieusement les grandes bottes poudreuses de Jean, puis
elle s'écria:

25 — Mais, monsieur, vous avez des éperons?

— Oui, mademoiselle.

— Vous êtes dans la cavalerie?

— Je suis dans l'artillerie, mademoiselle, et l'artillerie,
c'est de la cavalerie.

30 — Et votre régiment est en garnison?...

— Tout près d'ici.

— Mais alors vous monterez à cheval avec nous?

— Avec le plus grand plaisir, mademoiselle.

— C'est dit. Voyons, où en étais-je? [1]

— Vous ne savez pas du tout, Bettina, où vous en êtes,
et vous racontez à ces messieurs des choses qui ne peuvent
les intéresser. 5

— Oh! je vous demande pardon, madame, dit le curé.
La vente de ce château, — il n'est question que de cela [2]
dans le pays en ce moment, — et le récit de mademoiselle
nous intéresse beaucoup.

— Vous voyez, Suzie, mon récit intéresse beaucoup M. 10
le curé... Donc je continue. Nous sortons à cheval, nous
rentrons à sept heures, rien... Nous dînons et, au moment
où nous sortions de table, arrive une dépêche d'Amérique,
deux lignes seulement: "J'ai fait acheter pour vous aujourd'hui, et en votre nom, le château et le domaine de 15
Longueval, près de Souvigny, sur la ligne du Nord." [3]
Alors nous avons été prises, toutes les deux, d'un rire fou, [4]
à la pensée...

— Non, non, Bettina, cela n'est pas exact. Vous nous
calomniez toutes les deux. Nous avons été prises d'abord 20
d'un bien sincère mouvement d'émotion et de reconnaissance. Nous aimons beaucoup la campagne, ma sœur et
moi. Mon mari, qui est excellent, savait que nous dési-
rions très vivement avoir une terre en France. Depuis
six mois, il cherchait et ne trouvait rien. Enfin, et sans 25
nous le dire, il avait découvert ce château, qui se vendait [5]
précisément le jour de ma fête... C'était une attention
très délicate.

— Oui, Suzie, vous avez raison; mais, après le petit
accès d'émotion, il y a eu un grand accès de gaieté. 30

— Cela, je le reconnais... Quand nous avons fait cette
réflexion que nous nous trouvions brusquement, toutes les

deux — car ce qui est à l'une est à l'autre — propriétaires
d'un château, sans savoir où se trouvait ce château, comment il était fait et combien il avait coûté, cela ressemblait
tellement à un conte de fées...

5   — Enfin, pendant cinq bonnes minutes, de tout notre
cœur, nous avons ri... Puis nous nous sommes jetées sur
une carte de France, et nous avons réussi, non sans peine,
à y déterrer Souvigny. Après l'atlas, ce fut le tour d'un
indicateur des chemins de fer [1] et ce matin par l'express, à
10 dix heures, nous débarquions à Souvigny.

— Nous avons passé toute notre journée à visiter le
château, les écuries, les fermes. Nous n'avons pas tout
vu, car c'est immense... mais nous sommes ravies de
tout ce que nous avons vu. Seulement, monsieur le curé,
15 il y a quelque chose qui m'intrigue.[2] Je sais que le domaine a été vendu hier publiquement... Tout le long de
la route, j'ai vu les grandes affiches... Mais aux personnes,
régisseurs et fermiers, qui m'ont accompagnée dans ma
promenade, je n'ai pas osé demander, — tant mon igno-
20 rance aurait paru folle! — combien tout cela m'avait coûté.
Mon mari, dans sa dépêche, a oublié de me le dire... Du
moment que [3] je suis enchantée de l'acquisition, ce n'est
qu'un détail; mais je ne serais pas fâchée cependant d'apprendre... — Dites, monsieur le curé, si vous le savez,
25 dites-moi le prix.

— Un prix énorme, répondit le curé, car bien des espérances et bien des ambitions s'agitaient autour de Longueval

— Un prix énorme! Vous me faites peur... Combien
exactement?

30   — Trois millions!

— Seulement! s'écria madame Scott; le château, les
fermes, la forêt, le tout pour trois millions!

— Oui, trois millions.

— Mais c'est pour rien, dit Bettina. Cette délicieuse petite rivière qui se promène dans le parc vaut, à elle seule, les trois millions.

— Et vous disiez tout à l'heure, monsieur le curé, demanda madame Scott, vous disiez qu'il se trouvait plusieurs personnes pour nous disputer les terres et le château?

— Oui, madame.

— Et, devant ces personnes, après la vente, mon nom a-t-il été prononcé?

— Oui, madame.

— Et, quand mon nom a été prononcé, y a-t-il eu là quelqu'un[1] pour me connaître, pour parler de moi?... Oui... oui. Votre silence me répond... on a parlé de moi. ... Eh bien, monsieur le curé, je deviens sérieuse, très sérieuse... Je vous prie, en grâce, de me répéter ce qui a été dit de moi.

— Mais, madame, répondit le pauvre curé, qui était sur des charbons ardents,[2] on a parlé de votre grande fortune...

— Oui, on a dû parler[3] de cela; sans aucun doute, on a dû dire que j'étais fort riche... et, depuis peu de temps... une parvenue... n'est-ce pas? Très bien; mais ce n'est pas tout, on a dû vous dire autre chose.

— Mais non, je n'ai rien entendu...

— Oh! monsieur le curé, vous faites là ce que vous appelez un mensonge pieux[4]... et je vous rends très malheureux; car vous devez être la sincérité même. Mais, si je vous tourmente ainsi, c'est que j'ai grand intérêt à savoir ce qui s'est dit,[5] ce que...

— Mon Dieu,[6] madame, interrompit Jean, vous avez raison, on a dit autre chose, et mon parrain est un peu em-

barrassé pour le répéter; mais, puisque vous le voulez
absolument, on a dit que vous étiez une des plus élégantes,
des plus brillantes et des plus...

— Et des plus jolies femmes de Paris? On a pu dire
5 cela, — avec un peu d'indulgence on a pu le dire; — mais
ce n'est pas tout encore. Il y a autre chose...

— Ah! par exemple![1]

— Oui, il y a autre chose, et je voudrais avoir avec vous,
à l'instant même, une explication bien nette, bien franche.
10 Je ne sais pas... mais il me semble que j'ai eu la main
heureuse[2] aujourd'hui... il me semble, — c'est peut-être
un peu tôt pour dire ce mot-là, — mais il me semble que
vous êtes déjà tous les deux un peu mes amis... et que
vous le serez un jour tout à fait. Eh bien, dites, s'il court
15 sur mon compte[3] des histoires absurdes et fausses, n'ai-je
pas raison de penser que vous m'aiderez à les démentir?

— Oui, madame, répondit Jean avec une extrême vivacité, vous avez raison de le penser.

— Eh bien, c'est à vous, monsieur, que je m'adresse.
20 Vous êtes soldat... et c'est votre métier d'avoir du courage... Promettez-moi d'être brave... Me le promettez-
vous?

— Qu'entendez-vous, madame, par être brave?

— Promettez... promettez sans explications, sans con-
25 ditions.

— Eh bien, je le promets...

— Vous allez donc répondre franchement, par oui et
par non, aux questions que je vais vous adresser...

— Je répondrai.

30 — Vous a-t-on dit que j'avais mendié dans les rues de
New-York?

— Oui, on me l'a dit.

— Et que j'avais été écuyère dans un cirque ambulant?

— On me l'a dit, madame.

— A la bonne heure!... Voilà qui est parler.[1] Eh bien, remarquez d'abord que, dans tout cela, il n'y aurait rien, rien du tout d'inavouable... Mais, si cela n'est pas vrai, n'ai-je pas le droit de dire que cela n'est pas vrai? Et cela n'est pas vrai. — Mon histoire... en peu de mots, je vais vous la raconter; et, si je vous la raconte ainsi, dès le premier jour, c'est pour que vous ayez la bonté de la redire à tous ceux qui vous parleront de moi... Je vais passer une partie de ma vie dans ce pays, je désire qu'on sache d'où je viens et ce que je suis. Je commence donc. Pauvre, oui, je l'ai été, et très pauvre. Il y a de cela huit ans[2]... Mon père venait de mourir, suivant d'assez près notre mère.[3] J'avais, moi, dix-huit ans, et Bettina onze. Nous restions seules dans le monde avec de grosses dettes et un gros procès. La dernière parole de mon père avait été: "Suzie, pour le procès, ne transigez jamais, jamais, jamais!... Des millions, mes enfants, vous aurez des millions!" Il nous embrassa toutes les deux, Bettina et moi ... Le délire le prit et il mourut en répétant: "Des millions!" Un homme d'affaires se présenta, le lendemain, qui m'offrit de payer toutes les dettes et de me donner, en outre, dix mille dollars, si je lui abandonnais tous mes droits dans le procès. Il s'agissait de la possession[4] d'une grande étendue de terres dans le Colorado... Je refusai. C'est alors que, pendant quelques mois, nous avons été très pauvres.

— Et c'est alors, dit Bettina, que je mettais le couvert.

— Je passais ma vie chez les solicitors de New-York... mais personne ne voulait se charger de mes intérêts. C'était partout la même réponse: "Votre cause est très

douteuse, vous avez des adversaires riches et redoutables,
il faut de l'argent, beaucoup d'argent pour aller au bout
de votre procès... et vous n'avez plus rien... On vous
offre, vos dettes payées, dix mille dollars, acceptez, vendez
5 votre procès." Mais, moi, j'avais toujours dans l'oreille
les derniers mots de mon père, et je ne voulais pas... La
misère, cependant, allait bien m'y contraindre,[1] quand, un
jour, je tentai une démarche près d'un des amis de mon
père, un banquier de New-York, M. William Scott. Il
10 n'était pas seul; un jeune homme était assis dans son cabinet, près de son bureau. "Vous pouvez parler, me dit-il,
c'est mon fils Richard Scott." Je regarde ce jeune homme,
il me regarde, et nous nous reconnaissons... "Suzie! —
Richard!" Il me tend la main. Il avait vingt-trois ans,
15 et moi dix-huit, je vous l'ai dit. Bien souvent, autrefois,
enfants tous les deux, nous avions joué ensemble. Nous
étions alors grands amis. Puis, sept ou huit ans auparavant, il était parti pour achever son éducation en France
et en Angleterre. Son père me fait asseoir et me demande
20 ce qui m'amène... Je le lui dis... Il m'écoute et me répond: "Vous auriez besoin de vingt à trente mille dollars.
Personne ne vous prêtera une telle somme sur les chances
incertaines d'un procès très compliqué. Ce serait de la
folie. Si vous êtes malheureuse, si vous avez besoin
25 d'un secours... — Ce n'est pas cela, mon père, dit très
vivement Richard, ce n'est pas cela que miss Percival
demande. — Je le sais bien, mais ce qu'elle me demande
est impossible..." Il se leva pour me reconduire... Alors
j'eus un accès de faiblesse,[2] le premier depuis la mort de
30 mon père; j'avais été, jusque-là, assez forte, mais je sen-
tais mon courage épuisé. J'eus une crise de nerfs [3] et de
larmes. Je me remis enfin, et je partis. Une heure après,

Richard Scott était chez moi. "Suzie, me dit-il, promettez-moi d'accepter ce que je vais vous offrir; promettez-le-moi." Je le lui promis... "Eh bien, dit-il, à cette seule condition que mon père n'en sache rien, je mets à votre disposition la somme qui vous est nécessaire. — Mais encore faut-il que vous connaissiez mon procès, que vous sachiez ce qu'il est, ce qu'il vaut? — Je ne sais pas le premier mot de votre procès... et n'en veux rien connaître. Où serait le mérite de vous obliger, si j'avais la certitude de rentrer dans mon argent? D'ailleurs, vous avez promis d'accepter. C'est fait. Il n'y a pas à y revenir."[1] Cela m'était offert avec une telle simplicité, avec une telle ouverture de cœur, que j'acceptai. Trois mois après, le procès était gagné; ces terrains, devenus, sans contestation possible, notre propriété à tous deux,[2] on voulait nous les acheter cinq millions. J'allai consulter Richard. "Refusez et attendez, me dit-il, si l'on vous propose une pareille somme, c'est que les terrains valent le double. — Cependant, il faut bien que je vous rende votre argent, je vous dois beaucoup, beaucoup d'argent. — Oh! pour cela, plus tard, rien ne presse; je suis bien tranquille maintenant! Ma créance ne court plus aucun danger. — Mais je voudrais vous payer tout de suite; j'ai les dettes en horreur!... Il y aurait un moyen peut-être, sans vendre les terrains. Richard, voulez-vous être mon mari?" Oui, monsieur le curé; oui, monsieur, dit madame Scott en riant, c'est moi qui me suis ainsi jetée à la tête de mon mari. C'est moi qui lui ai demandé sa main. Cela, vous pouvez le dire à tout le monde, et vous ne direz que la vérité. J'étais, d'ailleurs, bien obligée d'agir de la sorte. Jamais, oh! je suis aussi sûre de cela que de ma vie, jamais il n'aurait parlé... J'étais devenue trop riche... Et, comme c'était moi qu'il

aimait et pas mon argent, mon argent lui faisait une peur
affreuse.   Voilà l'histoire de mon mariage.   Quant à l'histoire de notre fortune, elle peut se dire en quelques mots.
Il y avait, en effet, des millions dans ces terrains du Colo-
5 rado; on y découvrit de très abondantes mines d'argent, et
de ces mines nous tirons tous les ans des revenus déraison-
nables.   Mais nous sommes d'accord, mon mari, ma sœur
et moi, pour faire, sur ces revenus, très large la part [1] des
pauvres.   Vous vous en apercevrez, monsieur le curé...
10 c'est parce que nous avons connu des jours très cruels,
c'est parce que Bettina se souvient d'avoir mis le couvert
dans notre petit cinquième étage de New-York, c'est pour
cela que vous nous trouverez toujours secourables à ceux
qui sont, comme nous l'avons été nous-mêmes, en pré-
15 sence des difficultés et des douleurs de la vie... Et maintenant, monsieur Jean, voulez-vous me pardonner ce long
discours et m'offrir un peu de cette crème qui paraît excellente?

    Cette crème, c'étaient les œufs au lait de Pauline... et,
20 pendant que Jean s'empressait de servir madame Scott:
    — Je n'ai pas encore tout dit, continua-t-elle.   Il faut
que vous sachiez ce qui a donné naissance à ces histoires
extravagantes.   Quand nous sommes venus nous installer
à Paris, il y a un an, nous avons cru devoir, dès notre ar-
25 rivée, donner pour les pauvres une certaine somme.   Qui
a parlé de cela?   Pas nous, bien certainement; mais la
chose fut racontée dans un journal, avec le chiffre.   Aussitôt deux jeunes reporters accoururent pour faire subir à
M. Scott un petit interrogatoire sur son passé.   Ils vou-
30 laient écrire sur nous dans les journaux des... comment
appelez-vous cela? des chroniques.   M. Scott est quelquefois un peu vif.[2]   Il le fut ce jour-là et congédia ces

messieurs très brusquement, sans leur rien dire. Alors,
ne sachant pas notre histoire véritable, ils en inventèrent
une avec beaucoup d'imagination. Le premier raconta
que j'avais mendié dans la neige à New-York... et le second, le lendemain, pour publier un article encore plus à 5
sensation,[1] le second me fit crever[2] des cerceaux de papier
dans un cirque de Philadelphie. Vous avez en France de
bien drôles de journaux[3]... et nous aussi, d'ailleurs, en
Amérique.

Cependant, depuis cinq minutes, Pauline adressait au 10
curé des signes désespérés que celui-ci s'obstinait à ne pas
comprendre, si bien que[4] la pauvre fille, à la fin, rassem-
blant tout son courage:

— Monsieur le curé, il est sept heures un quart.

— Sept heures un quart! Oh! mesdames, je vous prie 15
de m'excuser, mais j'ai ce soir mon office du mois de Marie.

— Le mois de Marie... et l'office, c'est tout de suite?

— Oui, tout de suite.

— Et notre train pour Paris ce soir, à quelle heure exactement? 20

— A neuf heures et demie, répondit Jean, et il ne vous
faut en voiture que quinze à vingt minutes pour arriver
à la gare.

— Mais alors, Suzie, nous pouvons aller à l'église.

— Allons à l'église, répondit madame Scott; mais, avant 25
de nous séparer, monsieur le curé, j'ai une grâce à vous
demander. Je veux absolument vous avoir, la première
fois que je dînerai chez moi à Longueval, et vous aussi,
monsieur... seuls, tous les quatre,[5] comme aujourd'hui.
Oh! ne refusez pas, l'invitation est faite de si bon cœur. 30

— Et acceptée du même cœur, madame, répondit Jean.

— Je vous écrirai pour vous dire le jour. Je viendrai

le plus tôt possible... Vous appelez cela, n'est-ce pas,
pendre la crémaillère?[1]   Eh bien, nous pendrons la crémaillère à nous quatre.

5 Pendant ce temps, Pauline avait entraîné miss Percival
dans un coin de la salle, et, là, avec beaucoup d'animation,
lui parlait.   Leur conversation prit fin sur ces paroles:

— Vous serez là? disait Bettina.

— Oui, je serai là.

— Et vous me direz bien à quel moment.

10 — Je vous le dirai, mais prenez garde... voici monsieur le curé, il ne faut pas qu'il se doute...

Les deux sœurs, le curé et Jean sortirent de la maison.
De là, pour aller à l'église, il fallait traverser le cimetière.
La soirée était délicieuse.   Lentement, silencieusement,
15 tous les quatre, sous les rayons du soleil couchant, marchaient dans une allée.

Sur leur chemin se trouva le monument du docteur
Reynaud, très simple, mais qui cependant, par ses proportions, se distinguait des autres tombes.   Madame Scott
20 et Bettina s'arrêtèrent, frappées par cette inscription
gravée sur pierre:

Ici repose le docteur Marcel Reynaud, chirurgien-major
des mobilisés de Souvigny, tué, le 8 janvier 1871, à la bataille
de Villersexel.   Priez pour lui.

25 Quand elles eurent fini de lire, le curé, en leur montrant
Jean, dit ces simples mots:

— C'était son père!

Les deux femmes alors s'approchèrent de la tombe, et,
la tête inclinée, restèrent là pendant quelques instants,
30 pensives, émues, recueillies; puis, se retournant toutes
deux, en même temps, du même mouvement, elles tendirent
la main au jeune officier et reprirent leur marche vers

"C'ÉTAIT SON PÈRE."

l'église. Le père de Jean avait eu, à Longueval, leur
première prière.

Le curé s'en alla revêtir son surplis et son étole. Jean
conduisit madame Scott au banc réservé depuis deux siècles
aux maîtres de Longueval. Pauline avait pris les devants.[1] 5
Elle attendait miss Percival dans l'ombre, derrière un pilier
de l'église. Par un escalier étroit et raide, elle fit monter
Bettina dans la tribune et l'installa devant l'harmonium.

Précédé de deux enfants de chœur,[2] le vieux curé sortit
de la sacristie, et au moment où il s'agenouillait sur les 10
marches de l'autel:

— C'est le moment, mademoiselle, dit Pauline, dont le
cœur battait d'impatience. Pauvre cher homme, va-t-il
être content![3]

Lorsqu'il entendit le chant de l'orgue s'élever doucement 15
comme un murmure et se répandre dans la petite église,
l'abbé Constantin fut pris d'une telle émotion, d'une telle
joie, que les larmes lui vinrent aux yeux. Il ne se souvenait
pas d'avoir pleuré, depuis le jour où Jean lui avait dit qu'il
voulait partager tout ce qu'il possédait avec la mère et avec 20
la sœur de ceux qui étaient tombés, à côté de son père,
sous les balles allemandes.

Pour qu'il se trouvât encore des larmes dans les yeux du
vieux prêtre, il avait fallu qu'une petite Américaine pas-
sât les mers et vînt jouer une rêverie de Chopin[4] dans 25
l'église de Longueval.

IV

Le lendemain, à cinq heures et demie, on sonnait le
boute-selle dans la cour du quartier. Jean montait à cheval et prenait le commandement de sa section. A la fin

du mois de mai, toutes les recrues de l'armée sont ins-
truites et capables de participer aux évolutions d'en-
semble.¹   On exécute, presque tous les jours, au
polygone, des manœuvres de batteries attelées.²

5   Jean aimait son métier; il avait coutume de surveiller
avec beaucoup de soin l'attelage et le harnachement des
chevaux, l'équipement et l'allure de ses hommes; mais il
ne donna, ce matin-là, que peu d'attention à tous les
petits détails du service.

10   Un problème l'agitait, le tourmentait, le laissait indécis,
et ce problème était de ceux dont la solution ne se donne
pas à l'École polytechnique.   Jean ne pouvait trouver de
réponse précise à cette question:

        — Laquelle des deux est la plus jolie?

15   Au polygone, pendant la première partie de la manœuvre, chaque batterie travaille pour son compte,³ sous
les ordres du capitaine; mais souvent il cède la place à
l'un de ses lieutenants pour l'habituer à la direction des
six pièces.   Ce jour-là, précisément, dès le début de la

20 manœuvre, le commandement fut mis entre les mains de
Jean.   A la grande surprise du capitaine, qui tenait son
lieutenant en premier ⁴ pour un officier très capable et
très habile, les choses allèrent tout de travers.   Jean in-
diqua deux ou trois faux mouvements; il ne sut ni main-
25 tenir ni rectifier les distances; ⁵ les attelages, à plusieurs
reprises, se trouvèrent en contact.⁶   Le capitaine dut intervenir; il adressa à Jean une petite réprimande qui se
termina par ces mots:

        — Je n'y comprends rien.   Qu'est-ce que vous avez ⁷
30 ce matin?   C'est la première fois que cela vous arrive.

        C'est que c'était aussi la première fois que Jean, dans le
polygone de Souvigny, voyait autre chose que des canons

et des caissons, autre chose que des servants[1] et des con-
ducteurs. Dans les flots de poussière soulevés par les roues
des voitures et les pieds des chevaux, Jean apercevait,
non pas la deuxième batterie montée du 9e d'artillerie,
mais l'image distincte de deux Américaines aux yeux noirs 5
sous des cheveux d'or. Et, au moment où il recevait
respectueusement la légitime semonce de son capitaine,
Jean était en train de se dire:

— La plus jolie, c'est madame Scott!

La manœuvre est, tous les matins, coupée en deux par 10
un petit repos d'une dizaine de minutes. Les officiers se
rassemblent et causent. Jean se tint à l'écart, seul avec
ses souvenirs de la veille. Sa pensée, obstinément, le ramenait vers le presbytère de Longueval... Oui, la plus
charmante des deux, c'était madame Scott. Miss Percival 15
n'était qu'une enfant. Il revoyait madame Scott à la petite table du curé. Il entendait ce récit fait avec une telle
franchise, une telle liberté. L'harmonie un peu étrange de
cette voix très particulière, très pénétrante, enchantait encore son oreille. Il se retrouvait dans l'église. Elle était 20
là, devant lui, inclinée sur son prie-dieu, sa jolie tête en-
fermée dans ses deux petites mains. Puis l'orgue se
mettait à chanter, et, dans l'ombre, au loin, vaguement,
Jean apercevait l'élégante et fine silhouette de Bettina.

Une enfant? n'était-ce qu'une enfant? Les trompettes 25
sonnèrent. La manœuvre recommença. Cette fois, par
bonheur, plus de commandement,[2] plus de responsabilité.
Les quatre batteries exécutaient des évolutions d'ensemble.
On voyait tournoyer en tout sens cette masse énorme
d'hommes, de chevaux et de voitures, tantôt déployée en 30
une longue ligne de bataille, tantôt resserrée en un groupe
compact. Tout s'arrêtait en même temps, d'un seul coup,

sur toute l'étendue du polygone.   Les servants sautaient
à bas de leurs chevaux, couraient à la pièce, la décrochaient
de son avant-train qui s'éloignait au trot, et la disposaient
à faire feu avec une rapidité surprenante.   Puis les atte-
5 lages revenaient, les servants raccrochaient les pièces, se
remettaient vivement en selle, et le régiment se lançait, à
grande allure,[1] à travers le champ de manœuvre.

Bettina, tout doucement, dans la pensée de Jean, reprenait l'avantage sur madame Scott.   Elle lui apparaissait,
10 souriante et rougissante, dans les flots ensoleillés de ses
cheveux épars.[2] *Monsieur Jean...* elle l'avait appelé
monsieur Jean... et jamais son petit nom ne lui avait
paru si joli.   Et les dernières poignées de main, au départ,
avant de monter en voiture!... Miss Percival avait serré
15 un peu plus fort que madame Scott... un peu plus fort,
positivement.   Elle avait ôté ses gants pour jouer de
l'orgue, et Jean sentait encore l'étreinte de cette petite
main nue, qui était venue se blottir, fraîche et souple,
dans sa grosse vilaine patte d'artilleur.

20   — Je me trompais tout à l'heure, se disait Jean, la plus
jolie, c'est miss Percival.

La manœuvre était finie.   Les batteries se placèrent les
unes derrière les autres, à intervalles serrés, les pièces parfaitement alignées, et le défilé eut lieu au grand trot avec
25 un vacarme effroyable et dans un ouragan de poussière.
Lorsque Jean, le sabre au poing, passa devant le colonel,
les deux images des deux sœurs se confondaient et s'en-
chevêtraient si bien dans ses souvenirs, qu'elles entraient
et disparaissaient, en quelque sorte, l'une dans l'autre,
30 devenaient une seule et même personne. Tout parallèle
devenait impossible, grâce à cette singulière confusion des
deux termes de la comparaison.

Madame Scott et miss Percival restèrent, de la sorte, inséparables dans la pensée de Jean, jusqu'au jour où il devait lui être donné [1] de les revoir. L'impression de cette brusque rencontre ne s'effaça pas; [2] elle persista, très vive et très douce, à tel point que Jean se sentait agité, inquiet. 5

— Aurais-je fait, se disait-il, la bêtise [3] de devenir ainsi amoureux, follement, à première vue? Mais non, on devient amoureux d'une femme... et non pas de deux femmes à la fois.

Cela le rassurait. Il était très jeune, ce grand garçon de 10 vingt-quatre ans. Jamais l'amour n'était entré pleinement, franchement, ouvertement dans son cœur. L'amour, il ne le connaissait guère que par les romans, et il avait lu très peu de romans. Ce n'était pas un ange cependant. Il trouvait de la grâce et de la gentillesse aux grisettes 15 de Souvigny; lorsqu'elles lui permettaient de leur dire qu'elles étaient charmantes, il le leur disait volontiers; mais, quant à voir de l'amour dans des fantaisies qui ne mettaient en son cœur que de très légères et de très superficielles agitations, jamais il ne s'en était avisé. 20

Paul de Lavardens avait, lui, [4] de merveilleuses facultés d'enthousiasme et d'idéalisation. Son cœur logeait toujours trois ou quatre grandes passions qui vivaient là, fraternellement, en bon accord. Paul avait le talent de trouver dans cette petite ville de quinze mille âmes quan- 25 tité de jolies filles, toutes faites pour être adorées. Il croyait perpétuellement découvrir l'Amérique quand il ne faisait que la retrouver. [5]

Le monde, Jean l'avait à peine entrevu. Il s'était laissé conduire, une dizaine de fois peut-être, par Paul, à 30 des soirées, à des bals, dans les châteaux des environs. Il en avait rapporté une impression de gêne, de malaise et

d'ennui. Il en avait conclu que ces plaisirs-là n'étaient pas
faits pour lui. Il avait des goûts sérieux et simples. Il
aimait la solitude, le travail, les longues promenades, les
grands espaces, les chevaux et les livres. Il était un peu
5 sauvage, un peu paysan.[1] Il adorait son village et tous les
vieux témoins de son enfance qui lui parlaient d'autrefois.
Un quadrille dans un salon lui causait une peur insur-
montable; mais, tous les ans, à la fête patronale[2] de
Longueval, il dansait de bon cœur avec les fillettes et les
10 fermières du pays.

S'il avait vu madame Scott et miss Percival chez elles,
à Paris, dans toutes les splendeurs de leur luxe, dans tout
l'éclat de leur élégance, il les aurait regardées, de loin,
avec curiosité, comme de ravissants objets d'art. Puis il
15 serait rentré chez lui et aurait, sans nul doute, dormi
comme à l'ordinaire, le plus paisiblement du monde.

Oui, mais ce n'était pas ainsi que les choses s'étaient
passées, et de là son étonnement, de là son trouble. Ces
deux femmes, par le plus grand des hasards,[3] s'étaient
20 montrées à lui dans un milieu qui lui était familier et qui
leur avait été, par cela même,[4] singulièrement favorable.
Simples, bonnes, franches, cordiales, voilà ce qu'elles
avaient été dès le premier jour. Et, par-dessus le marché,
délicieusement jolies, ce qui ne gâte jamais rien. Jean
25 s'était senti tout de suite sous le charme. Il y était encore.

Au moment où il descendait de cheval, à neuf heures,
dans la cour du quartier, l'abbé Constantin entrait joyeusement en campagne.[5] La tête du vieux prêtre, depuis la
veille, était en feu. Jean n'avait pas beaucoup dormi, et
30 lui, le pauvre curé, n'avait pas dormi du tout.

De grand matin, il s'était levé, et, toutes portes closes,
seul avec Pauline, il avait compté son argent, étalant sur

la table ses cent louis, et, comme un avare, prenant plaisir
à les manier.   A lui tout cela! à lui! c'est-à-dire aux
pauvres.

— N'allez pas trop vite, monsieur le curé, disait Pauline; soyez économe.   Je crois qu'en distribuant aujour-   5
d'hui une centaine de francs...

— Ce n'est pas assez, Pauline, ce n'est pas assez.   Je
n'aurai eu qu'une journée comme celle-là dans ma vie,
mais je l'aurai eue!   Savez-vous combien je vais donner,
Pauline?   10

— Combien, monsieur le curé?

— Mille francs!

— Mille francs! ! !

— Oui, nous sommes millionnaires maintenant.   Nous
avons à nous tous les trésors de l'Amérique, et je ferais   15
des économies?   Pas aujourd'hui en tout cas!   Je n'en ai
pas le droit.

Sa messe dite, à neuf heures, il partit et ce fut une pluie
d'or sur sa route.   Ils eurent tous leur part, et les pauvres
avouant leur misère, et ceux qui la cachaient.   Chaque   20
aumône était accompagnée du même petit discours:

— Cela vient des nouveaux maîtres de Longueval, deux
Américaines...   Madame Scott et miss Percival.   Retenez
bien leurs noms et priez pour elles ce soir.

Puis il se sauvait, sans attendre les remerciements; à   25
travers les champs, à travers les bois, de hameau en hameau, de chaumière en chaumière, il allait, il allait, il allait.
...   Une sorte de griserie lui montait au cerveau.   Partout
sur son passage, c'étaient des cris de joie et d'étonnement.
Tous ces louis d'or tombaient, comme par miracle, dans   30
ces pauvres mains habituées à recevoir de petites pièces de
monnaie blanche.[2]   Le curé fit même des folies, des vraies

folies; il était lancé, il ne se connaissait plus. Il donnait
à ceux-là mêmes qui ne demandaient pas.

Il rencontra Claude Rigal, un ancien sergent qui avait
laissé un de ses bras à Sébastopol,[1] déjà tout grisonnant,
5 tout blanchissant; car le temps passe et les soldats de
Crimée bientôt seront des vieillards.

— Tenez, dit le curé, voilà vingt francs.

— Vingt francs! mais je ne demande rien, je n'ai besoin
de rien. J'ai ma pension.

10 Sa pension!... sept cents francs!

— Eh bien, répondit le curé, ce sera pour vous acheter
des cigares; mais écoutez bien, cela vient d'Amérique...

Il recommençait sa petite tirade sur les nouveaux maîtres
de Longueval.

15 Il entra chez une brave femme, dont le fils, le mois
précédent, était parti pour la Tunisie.[2]

— Eh bien, votre fils, comment va-t-il?

— Pas mal, monsieur le curé, j'ai reçu hier une lettre.
Il se porte bien, il ne se plaint pas; seulement il dit qu'il
20 n'y a pas de Kroumirs... Pauvre garçon! J'ai fait des
petites économies depuis un mois, et je crois que je pourrai bientôt lui envoyer dix francs.

— Vous lui en enverrez trente... Prenez...

— Vingt francs, monsieur le curé! vous me donnez
25 vingt francs!

— Oui, je vous les donne...

— Pour mon garçon?

— Pour votre garçon... Seulement, écoutez bien, il
faut que vous sachiez d'où ça vient; vous aurez bien soin[3]
30 de le dire à votre fils, quand vous lui écrirez.

Le curé, pour la vingtième fois, répéta son petit panégyrique de madame Scott et de miss Percival. A six

heures, il rentra chez lui, épuisé de fatigue, mais la joie
dans l'âme.

— J'ai tout donné! s'écria-t-il dès qu'il aperçut Pauline,
tout donné! tout donné!

Il dîna et s'en alla, le soir, dire son office du mois de 5
Marie; mais, au moment où il monta à l'autel, l'harmonium resta muet. Miss Percival n'était plus là.

La petite organiste de la veille était, en ce même moment,
fort perplexe. Sur les deux divans de son cabinet de toilette,[1] deux robes s'étalaient à grands flots, une robe 10
blanche et une robe bleue. Bettina se demandait laquelle
de ces deux robes elle allait mettre, pour aller le soir à
l'Opéra. Elle les trouvait délicieuses toutes les deux, mais il
fallait bien choisir.[2] Elle ne pouvait en mettre qu'une. Après
de longues hésitations, elle se décida pour la robe blanche. 15

A neuf heures et demie, les deux sœurs montaient le
grand escalier de l'Opéra. Quand elles entrèrent dans
leur loge, le rideau se levait sur le second tableau du
deuxième acte d'*Aïda*,[3] l'acte du ballet et de la marche.

Deux jeunes gens, Roger de Puymartin et Louis de Mar- 20
tillet, se trouvaient assis au premier rang d'une baignoire
de rez-de-chaussée. Ces demoiselles du corps de ballet[4]
n'étaient pas encore en scène,[5] et ces messieurs, désœuvrés,
s'amusaient à regarder la salle. L'apparition de miss Percival fit sur tous deux une très vive impression. 25

— Ah! ah! dit Puymartin, le voilà, le petit lingot d'or!

Tous deux braquèrent leurs lorgnettes sur Bettina.

— Il est éblouissant, ce soir, le petit lingot d'or, continua Martillet. Regarde donc... la ligne du cou...
l'attache des bras[6]... Jeune fille encore et déjà femme. 30

— Oui, elle est ravissante... et à son aise par-dessus le
marché.

— Quinze millions, il paraît, quinze millions à elle,[1] bien
à elle, et la mine d'argent marche toujours!

— Bérulle m'a dit vingt-cinq millions... et il est très
au courant des choses d'Amérique, Bérulle.

5   — Vingt-cinq millions! Un joli banco[2] pour Romanelli!

— Comment, Romanelli?

— Le bruit court qu'il l'épouse, que le mariage est
décidé.

— Mariage décidé, soit;[3] mais avec Montessan, pas avec
10 Romanelli... Ah! enfin, voici le ballet!

Ils cessèrent de causer. Le ballet dans *Aïda* ne dure
que cinq minutes. Il importait d'en jouir respectueusement, religieusement; car il y a cela de particulier chez
nombre d'habitués de l'Opéra, qu'ils bavardent comme des
15 pies quand il conviendrait de se taire pour écouter, et
qu'ils observent, au contraire, un admirable silence quand
il serait permis de causer, tout en regardant.

Les trompettes héroïques d'*Aïda* avaient jeté leur
dernière fanfare en l'honneur de Radamès.[4] Devant les
20 grands sphinx, sous le vert feuillage des palmiers, les dan-
seuses s'avançaient étincelantes et prenaient possession de
la scène.

Madame Scott, avec beaucoup d'attention et de plaisir,
suivait les évolutions du ballet; mais Bettina brusque-
25 ment était devenue songeuse, en apercevant dans une
loge, de l'autre côté de la salle, un grand jeune homme
brun. Miss Percival se parlait à elle-même et se disait:

— Que faire? que décider? Faut il l'épouser, ce grand
garçon qui est là en face et qui me lorgne?... car c'est
30 moi qu'il regarde... Il va venir tout à l'heure pendant
l'entr'acte, et, quand il entrera, je n'aurais qu'à lui dire:
"C'est fait! voici ma main... Je serai votre femme."

Et ce serait fait! Princesse, je serais princesse! princesse Romanelli! princesse Bettina! Bettina Romanelli! Cela s'arrange bien, cela sonne très gentiment à l'oreille: "Madame la princesse est servie... — Madame la princesse montera-t-elle à cheval demain matin?..." Cela m'amuserait-il d'être princesse?... Oui et non... Parmi tous ces jeunes gens qui, depuis un an, à Paris, courent après mon argent, ce prince Romanelli, c'est encore ce qu'il y a de mieux[1]... Il faudra bien que je me décide, un de ces jours, à me marier... Je crois qu'il m'aime... Oui, mais moi, est-ce que je l'aime? Non, je ne crois pas... et j'aimerais tant aimer![2]... Oh! oui, j'aimerais tant!...

A l'heure précise où ces réflexions passaient par la jolie tête de Bettina, Jean, seul dans son cabinet de travail, assis devant son bureau avec un gros livre sous l'abat-jour de sa lampe, repassait, en prenant des notes, l'histoire des campagnes de Turenne.[3] Il était chargé de faire un cours aux sous-officiers du régiment, et, prudemment, il préparait sa leçon du lendemain.

Mais voilà que, tout à coup, au milieu de ses notes: Nordlingen, 1645; les Dunes, 1658; Mulhausen et Turckheim, 1673-1675, voilà qu'il aperçut un croquis... Jean ne dessinait pas trop mal.[4] Un portrait de femme était venu se placer de lui-même sous sa plume. Qu'est-ce qu'elle venait faire là, au milieu des victoires de Turenne, cette petite bonne femme? Et puis laquelle était-ce?... Madame Scott ou miss Percival?... Comment savoir?... Elles se ressemblaient tant!... Et Jean, péniblement, laborieusement, revenait à l'histoire des campagnes de Turenne.

Au même moment encore, l'abbé Constantin, à genoux devant sa petite couchette de noyer, de toutes les forces de

son âme, appelait les grâces du Ciel sur les deux femmes
qui lui avaient fait passer une si douce et une si heureuse journeé. Il priait Dieu de bénir madame Scott
dans ses enfants et de donner à miss Percival un mari
5 selon son cœur.

V

Paris autrefois appartenait aux Parisiens, et cet autrefois n'est pas très loin de nous; trente ou quarante ans à
peine. Les Français, à cette époque, étaient maîtres de
Paris, comme les Anglais sont maîtres de Londres, les Es-
10 pagnols de Madrid et les Russes de Pétrograd. Ces temps
ne sont plus. Il y a encore des frontières pour les autres
pays, il n'y en a plus pour la France. Paris est devenu
une immense tour de Babel, une ville internationale et
universelle. Les étrangers ne viennent pas seulement
15 visiter Paris; ils viennent y vivre.

Nous avons à présent, à Paris, une colonie russe, une
colonie espagnole, une colonie levantine, une colonie
américaine; ces colonies ont leurs églises, leurs banquiers,
leurs médecins, leurs journaux, leurs pasteurs, leurs popes
20 et leurs dentistes. Les étrangers ont déjà conquis sur
nous la plus grande partie des Champs-Élysées[1] et du
boulevard Malesherbes;[2] ils avancent, ils s'étendent; nous
reculons, refoulés par l'invasion; nous sommes obligés de
nous expatrier. Nous allons fonder des colonies parisi-
25 ennes dans la plaine de Passy,[3] dans la plaine de Monceau,[4]
dans des quartiers qui autrefois n'étaient pas du tout Paris
et qui ne le sont pas encore tout à fait aujourd'hui.

Parmi ces colonies étrangères, la plus nombreuse, la plus
riche, la plus brillante, c'est la colonie américaine. Il y a
30 un moment où un Américain se sent assez riche; un Fran-

çais, jamais. L'Américain alors s'arrête, respire un peu et, tout en ménageant le capital, ne compte plus avec les revenus, il sait dépenser; le Français ne sait qu'épargner.

Le Français n'a qu'un seul véritable luxe: ses révolutions. Prudemment et sagement, il se réserve pour elles, sachant bien qu'elles coûteront fort cher à la France, mais qu'elles seront, en même temps, l'occasion de placements fort avantageux. Le budget de notre pays n'est qu'un long emprunt perpétuellement ouvert. Le Français se dit:

— Thésaurisons! thésaurisons! thésaurisons! Il y aura, un de ces matins, quelque révolution qui fera tomber le cinq pour cent[1] à cinquante ou soixante francs. J'en achèterai. Puisque les révolutions sont inévitables, tâchons du moins d'en tirer profit.

On parle sans cesse des gens ruinés par les révolutions, et plus grand peut-être est le nombre des gens enrichis par les révolutions.

Les Américains subissent très fortement l'attraction de Paris. Il n'est pas au monde de ville où il soit plus agréable et plus facile de dépenser beaucoup d'argent. Par des raisons de race et d'origine, cette attraction s'exerçait sur madame Scott et sur miss Percival d'une façon toute particulière.

La plus française de nos colonies, c'est le Canada, qui n'est plus à nous. Le souvenir de la patrie première a persisté très puissant et très doux au cœur des émigrés de Québec et de Montréal. Suzie Percival avait reçu de sa mère une éducation toute française, et elle avait élevé sa sœur dans le même amour de notre pays. Les deux sœurs se sentaient Françaises, mieux que cela, Parisiennes.

Aussitôt que cette avalanche de millions se fut abattue sur elles, un même désir les posséda: venir vivre à Paris.

Elles demandèrent la France comme on demande la patrie.
M. Scott fit quelque résistance.

— Quand je ne serai plus là, disait-il, quand je viendrai
seulement tous les ans passer deux ou trois mois en Amé-
5 rique, pour surveiller vos intérêts vos revenus à toutes
deux diminueront.

— Qu'importe! répondait Suzie, nous sommes riches,
trop riches... Partons, je vous en prie... Nous serons si
contentes! si heureuses!

10   M. Scott se laissa fléchir; et Suzie, dans les premiers
jours de janvier 1880, put écrire la lettre suivante à son
amie, Katie Norton, qui, depuis quelques années déjà,
habitait Paris:

"Victoire! c'est décidé! Richard a consenti. J'arrive
15 au mois d'avril et je redeviens Française. Vous m'avez
offert de vous charger de tous les préparatifs de notre
installation à Paris. Je suis horriblement indiscrète...
J'accepte.

"Je voudrais, dès que je mettrai le pied à Paris, pouvoir
20 jouir de Paris, ne pas perdre mon premier mois en courses
chez les tapissiers, chez les carrossiers, chez les marchands
de chevaux. Je voudrais, en descendant du chemin de fer,
trouver dans la cour de la gare *ma* voiture, *mon* cocher,
mes chevaux. Je voudrais vous avoir, ce jour-là, à dîner
25 avec moi *chez moi.* Louez ou achetez un hôtel, engagez
des domestiques, choisissez les voitures, les chevaux, les
livrées. Je m'en rapporte absolument à vous.[1] Que les
livrées soient bleues, voilà tout. Cette ligne est ajoutée à
la demande de Bettina, qui, par-dessus mon épaule, regarde
30 ce que je vous écris.

"Nous n'amenons en France avec nous que sept personnes: Richard, son valet de chambre; Bettina et moi,

nos femmes de chambre; les deux gouvernantes des enfants; plus deux *boys*, Toby et Boby, qui nous suivent à
cheval. Ils montent dans une rare perfection [1]... Deux
vrais petits amours: [2] même taille, même tournure, presque
même figure; nous ne trouverions jamais à Paris de grooms 5
mieux appareillés.

"Tout le reste, choses et gens, nous le laissons à New-
York... Non, pas tout le reste, j'oubliais quatre petits
poneys, quatre bijoux, noirs comme de l'encre avec des
balzanes blanches, tous les quatre, aux quatre jambes; 10
nous n'aurons pas le cœur de nous en séparer. Nous les
attelons sur un duc, c'est charmant! Nous menons très
bien à quatre,[3] Bettina et moi. Des femmes peuvent,
n'est-ce pas, sans trop de scandale, mener à quatre, au
Bois,[4] le matin, de bonne heure. Ici, cela se peut. 15

"Surtout, ma chère Katie, ne comptez pas avec l'argent... Des folies, faites des folies. Voilà tout ce que je
vous demande."

Le jour même où madame Norton recevait cette lettre,
la nouvelle éclatait de la débâcle d'un certain Garneville, 20
gros spéculateur, qui n'avait pas eu de flair; [5] il avait *senti
de la baisse* quand il aurait fallu *sentir de la hausse*.[6] Ce
Garneville, six semaines auparavant, s'était installé dans
un hôtel tout battant neuf [7] et qui n'avait d'autre défaut
qu'une trop violente magnificence. 25

Madame Norton signa un acte de location,[8] — cent mille
francs par an, — avec faculté d'acheter l'hôtel et le mobilier
pour deux millions dans la première année du bail. Un
tapissier de grand style [9] se chargea de corriger, d'adoucir le luxe démesuré d'un ameublement criard et tapa- 30
geur.

Cela fait, l'amie de madame Scott eut le bonheur de

mettre, du premier coup, la main sur deux de ces artistes éminents sans lesquels une grande maison ne pourrait se fonder et ne saurait fonctionner.

D'abord, un chef de premier ordre, qui venait d'aban-
5 donner un vieil hôtel du faubourg Saint-Germain,[1] à son grand regret, car il avait des sentiments aristocratiques. Il lui en coûtait un peu[2] d'aller servir chez des bourgeois, chez des étrangers.

— Jamais, dit-il à madame Norton, je n'aurais quitté le
10 service de madame la baronne, si elle avait soutenu son train sur le même pied[3]... mais madame la baronne a quatre enfants... deux fils qui ont fait des bêtises... et deux filles qui seront bientôt en âge d'être mariées. Il faudra les doter. Enfin, madame la baronne est obligée de
15 se resserrer un peu et la maison n'est plus assez importante pour moi.

Ce praticien distingué fit ses conditions; bien qu'exces-sives, elles n'effrayèrent pas madame Norton, qui savait avoir affaire à un homme du plus sérieux mérite; mais lui,
20 avant de se décider, demanda la permission de télégraphier à New-York. Il avait besoin de prendre des renseigne-ments.[4] La réponse fut favorable. Il accepta.

Le second grand artiste était un piqueur d'une très rare et très haute capacité, qui venait de se retirer après fortune
25 faite. Il consentit cependant à organiser les écuries de madame Scott. Il fut bien entendu qu'il aurait toute li-berté dans les acquisitions de chevaux, qu'il ne porterait pas la livrée, qu'il choisirait les cochers, les grooms et les palefreniers, qu'il n'y aurait jamais moins de quinze che-
30 vaux à l'écurie, qu'aucun marché ne se ferait avec le car-rossier et avec le sellier sans son intervention et qu'il ne monterait sur le siège que le matin, en *costume de ville*,[5]

pour donner des leçons de guides à ces dames[1] et aux enfants, s'il était nécessaire.

Le chef prit possession de ses fourneaux et le piqueur de ses écuries. Tout le reste n'était qu'une question d'argent, et madame Norton à cet égard usa largement de ses pleins pouvoirs. Elle se conforma aux instructions qu'elle avait reçues. Elle fit, dans ce court espace de deux mois, de véritables prodiges, pour que l'installation des Scott fût absolument complète et absolument irréprochable.

Et voilà comment, lorsque, le 15 avril 1880, M. Scott, Suzie et Bettina descendirent du *rapide*[2] du Havre, à quatre heures et demie, sur le quai de la gare Saint-Lazare, ils trouvèrent madame Norton, qui leur dit:

— Votre calèche est là, dans la cour. Il y a derrière la calèche, un landau pour les enfants et, derrière le landau, un omnibus pour les domestiques. Les trois voitures à votre chiffre, conduites par vos cochers et attelées de vos chevaux. Vous demeurez: 24, rue Murillo, et voici le menu de votre dîner de ce soir. Vous m'avez invitée, il y a deux mois, j'accepte et je prendrai même la liberté de vous amener une quinzaine de personnes. Je fournis tout, même les invités... Rassurez-vous, vous les connaissez tous, ce sont de nos amis communs... et, dès ce soir, nous pourrons juger des mérites de votre cuisinier.

Madame Norton remit à madame Scott une jolie petite carte entourée d'un fil d'or, qui portait ces mots: *Menu du dîner du 15 avril 1880*, et au-dessous: *Consommé à la Parisienne*,[3] *truites saumonées à la Russe*, etc.

Le premier Parisien qui eut l'honneur et le plaisir de rendre hommage à la beauté de madame Scott et de miss Percival fut un petit marmiton d'une quinzaine d'années, qui se trouvait là, vêtu de blanc, sa manne d'osier sur la

tête, au moment où le cocher de madame Scott, gêné par
un embarras de voitures, sortait difficilement de la cour
de la gare.   Le petit marmiton s'arrêta net sur le trottoir,
ouvrit de grands yeux, regarda les deux sœurs avec un air
5 d'ébahissement et leur lança hardiment en plein visage [1]
ce simple mot:

— Mazette! ! ! [2]

Quand elle vit venir les rides et les cheveux blancs,
madame Récamier [3] disait à une de ses amies:

10 — Ah! ma chère, il n'y a plus d'illusion à se faire.[4]   Depuis le jour où j'ai vu que les petits ramoneurs ne se
retournaient plus dans la rue pour me regarder, j'ai compris que tout était fini.

L'opinion des petits marmitons vaut, en pareil cas,
15 l'opinion des petits ramoneurs... Tout n'était pas fini
pour Suzie et pour Bettina; tout commençait, au contraire.

Cinq minutes après, la calèche de madame Scott montait
le boulevard Haussmann au trot lent et cadencé de deux
admirables chevaux; Paris comptait deux Parisiennes
20 de plus.

Le succès de madame Scott et de miss Percival fut im-
médiat, décisif, foudroyant.   Les beautés de Paris ne sont
pas classées et cataloguées comme les *beautés* de Londres.
Elles ne font pas publier leur portrait dans les journaux
25 illustrés et ne laissent pas vendre leur photographie chez
les papetiers... cependant, il existe toujours un petit état-
major d'une vingtaine de femmes qui représentent la grâce,
l'élégance et la beauté parisiennes, lesquelles femmes, après
dix ou douze années de services, passent dans le cadre
30 de réserve,[5] tout comme les vieux généraux.

Suzie et Bettina firent tout de suite partie de ce petit
état-major.   Ce fut l'affaire de vingt-quatre heures, pas

même vingt-quatre heures; car tout se passa entre huit heures du matin et minuit, le lendemain même de leur arrivée à Paris.

Imaginez une sorte de petite féerie en trois actes et dont le succès irait grandissant de tableau en tableau: 5

1° Une promenade à cheval, le matin, à dix heures, au Bois, avec les deux merveilleux grooms importés d'Amérique;

2° Une promenade à pied, à six heures, dans l'allée des Acacias;[1] 10

3° Une apparition à l'Opéra, le soir, à dix heures, dans la loge de madame Norton.

Les deux *nouvelles* furent immédiatement remarquées et appréciées, comme elles méritaient de l'être, par les trente ou quarante personnes qui constituent une sorte de tribu- 15 nal mystérieux et qui rendent, au nom de tout Paris, des arrêts sans appel. Ces trente ou quarante personnes ont, de temps en temps, la fantaisie de déclarer *délicieuse* telle femme manifestement laide. Cela suffit. Elle paraît *délicieuse* à dater de ce jour. 20

La beauté des deux sœurs n'était pas discutable. On admira, le matin, leur grâce, leur élégance et leur distinction; on déclara, dans l'après-midi, qu'elles avaient la démarche précise et hardie de deux jeunes déesses; et, le soir, ce ne fut qu'un cri sur l'idéale perfection de leurs 25 épaules. La partie était gagnée. Tout Paris, dès lors, eut pour les deux sœurs les yeux du petit marmiton de la rue d'Amsterdam, tout Paris répéta son *Mazette!* bien entendu avec les variantes et les développements imposés par les usages du monde. 30

Le salon de madame Scott prit immédiatement tournure[2]... Les habitués de trois ou quatre grandes maisons

américaines se transportèrent en masse chez les Scott, qui
eurent trois cents personnes à leur premier mercredi.¹ Leur
cercle, très rapidement, s'accrut; il y avait un peu de tout
dans leur clientèle:² des Américains, des Espagnols, des
5 Italiens, des Hongrois, des Russes et même des Parisiens.

Lorsqu'elle avait raconté son histoire à l'abbé Constantin, madame Scott n'avait pas tout dit... on ne dit jamais
tout. Elle se savait charmante, aimait qu'on s'en aperçût,³
et ne haïssait pas qu'on le lui dît... En un mot, elle était
10 coquette. Aurait-elle été Parisienne sans cela? M. Scott
avait en sa femme une pleine confiance et lui laissait une
entière liberté. Il se montrait peu... C'était un galant
homme qui se sentait vaguement embarrassé d'avoir fait
un tel mariage, d'avoir épousé tant d'argent. Ayant le
15 goût des affaires,⁴ il se plaisait à se consacrer tout entier à
l'administration des deux énormes fortunes qui étaient dans
ses mains, à les grossir sans cesse, à dire tous les ans à sa
femme et à sa belle-sœur...

— Vous êtes encore plus riches que l'année dernière...
20 Non content de veiller avec beaucoup de prudence et
d'habileté aux intérêts qu'il avait laissés en Amérique, il
se lança, en France, dans de grandes affaires, et réussit à
Paris comme il avait réussi à New-York. Pour gagner de
l'argent, il n'y a rien de tel que de n'avoir pas ⁵ besoin
25 d'en gagner.

On fit la cour à madame Scott, on la lui fit énormément
... on la lui fit en français, en anglais, en italien, en espagnol... car elle savait ces quatre langues... et voilà
encore un avantage que les étrangères ont sur ces pauvres
30 Parisiennes, qui, généralement, ne connaissent que leur
langue maternelle et n'ont pas la ressource des passions
internationales.⁶

Madame Scott ne prit pas de bâton pour mettre les gens dehors. Elle eut, en même temps dix, vingt, trente adorateurs. Nul ne put se vanter d'une préférence quelconque, à tous elle opposa la même résistance aimable, enjouée, riante... Il fut clair qu'elle s'amusait du jeu et ne prenait pas un instant la partie au sérieux.[1] Elle jouait pour le plaisir, pour l'honneur, pour l'amour de l'art. M. Scott n'eut jamais la moindre inquiétude; il avait parfaitement raison d'être tranquille... Bien plus, il jouissait des succès de sa femme; il était heureux de la voir heureuse. Il l'aimait beaucoup... un peu plus qu'elle-même ne l'aimait. Lui,[2] elle l'aimait bien, et voilà tout. Il y a une grande distance entre *bien* et *beaucoup* quand ces deux adverbes sont placés après le verbe: *aimer*.

Quant à Bettina, ce fut autour d'elle une course fantastique, une ronde infernale! Une telle fortune! une telle beauté! Miss Percival était arrivée à Paris le 15 avril; quinze jours ne s'étaient pas écoulés que les demandes en mariage commençaient à pleuvoir. Dans le cours de cette première année, — Bettina s'était amusée à tenir fort exactement cette petite comptabilité, — dans le cours de cette première année, elle aurait pu, si elle avait voulu, se marier trente-quatre fois... Et quelle variété de prétendants!

On demanda sa main pour un jeune exilé qui, dans de certaines éventualités, pouvait être appelé à monter sur un trône, tout petit, il est vrai, mais sur un trône cependant.

On demanda sa main pour un jeune duc, qui ferait grande figure à la cour, lorsque la France, — et cela était inévitable! — reconnaîtrait ses erreurs et s'inclinerait devant ses maîtres légitimes.[3]

On demanda sa main pour un jeune prince qui aurait

sa place sur les marches du trône, lorsque la France, — et
cela était inévitable! — renouerait la chaîne des traditions
napoléoniennes.[1]

On demanda sa main pour un jeune député républicain,
qui venait de débuter très brillamment à la Chambre,[2] et à
qui l'avenir réservait les plus brillantes destinées; car la
République était fondée maintenant en France sur des
bases indestructibles.

On demanda sa main pour un jeune Espagnol de la plus
haute volée, et on lui donna à entendre que la soirée de
contrat[3] aurait lieu dans le palais d'une reine qui ne de-
meure pas très loin de l'arc de l'Étoile[4]... On trouve,
d'ailleurs, son adresse dans l'almanach Bottin[5]... car il y
a des reines aujourd'hui qui ont leur adresse dans le
Bottin, entre un notaire et un herboriste. Il n'y a que les
rois de France qui ne demeurent plus en France.

On demanda sa main pour le fils d'un pair d'Angleterre
et pour le fils d'un membre de la Chambre des seigneurs
de Vienne; sa main pour le fils d'un banquier de Paris et
pour le fils d'un ambassadeur de Russie; sa main pour un
comte hongrois et pour un prince italien... et aussi pour
de braves petits jeunes gens qui n'étaient rien, n'avaient
rien, ni nom ni fortune. Mais Bettina leur avait accordé
un tour de valse, et, se croyant irrésistibles, ils espéraient
avoir fait battre son petit cœur.

Rien, jusqu'à présent, ne l'avait fait battre, ce petit
cœur, et la réponse pour tous avait été la même:

— Non!... non!... Encore non!... Toujours non!

Quelques jours après cette représentation d'*Aïda*, les
deux sœurs avaient eu ensemble une assez longue conversation sur cette grosse, sur cette éternelle question de
mariage. Certain nom avait été prononcé par madame

Scott, qui avait provoqué de la part de miss Percival le
refus le plus net et le plus énergique.

Et Suzie, en riant, avait dit à sa sœur:

— Vous serez bien forcée, cependant, Bettina, de finir
par vous marier... 5

— Oui, certainement!... Mais je serais si fâchée, Suzie,
de me marier sans amour!... Il me semble que, pour me
résoudre à une chose pareille, j'aurais besoin de me voir
tout à fait en danger de mourir vieille fille[1]... et je n'en
suis pas là![2] 10

— Non, pas encore.

— Attendons alors, attendons!

— Attendons!... Mais, parmi tous ces amoureux que
vous traînez après vous depuis un an, il y en avait de bien
gentils, de bien aimables, et il est vraiment un peu étrange 15
qu'aucun d'eux...

— Aucun!... ma Suzie; aucun, absolument! Pourquoi
ne vous dirais-je pas la vérité? Est-ce leur faute? Ont-
ils été maladroits! Auraient-ils pu, en s'y prenant mieux,[3]
trouver le chemin de mon cœur? Ou bien est-ce ma faute 20
à moi?[4] Ce chemin de mon cœur serait-il,[5] par hasard,
une vilaine route escarpée, rocailleuse, inaccessible, et par
où personne jamais ne passera? Serais-je une méchante
petite créature, sèche, froide, et condamnée à ne jamais
aimer? 25

— Je ne crois pas...

— Ni moi non plus... mais, jusqu'à présent, cependant,
voilà mon histoire! Non, je n'ai rien senti qui ressemblât
à de l'amour... Vous riez... et pourquoi vous riez, je le
devine... Vous vous dites: "Voyez donc cette petite fille 30
qui a la prétention de savoir ce que c'est que d'aimer!"
Vous avez raison, je ne le sais pas... mais je m'en doute

bien un peu.[1] Aimer, n'est-ce pas, ma Suzie, préférer à tous et à toutes une certaine personne?

— Oui, c'est bien cela.

— N'est-ce pas ne pouvoir se lasser de voir cette per-
5 sonne et de l'entendre? n'est-ce pas cesser de vivre quand
elle n'est plus là, pour recommencer tout de suite à revivre,
dès qu'elle reparaît?

— Oh! oh! c'est du grand amour, cela!

— Eh bien, c'est l'amour que je rêve…

10 — Et c'est l'amour qui ne vient pas?

— Pas du tout… jusqu'à présent. Et cependant elle
existe, la personne préférée par moi à tous et à toutes…
Savez-vous qui c'est?

— Non, je ne le sais pas… mais je m'en doute bien un
15 peu…

— Oui, c'est vous, ma chérie, et c'est peut-être vous,
méchante sœur, qui me rendez à ce point insensible et
cruelle. Je vous aime trop. Complet, mon cœur![2] Vous
l'avez pris tout entier, il n'y a plus de place pour personne.
20 Vous préférer quelqu'un! Aimer quelqu'un plus que vous!
… Je n'en viendrai jamais à bout![3]…

— Oh! que si![4]

— Oh! que non!… Aimer autrement… peut-être?…
mais plus, non. Qu'il ne compte pas là-dessus, ce mon-
25 sieur que j'attends et qui n'arrive pas.

— Ne craignez rien, ma Betty. Il y aura place dans
votre cœur pour tous ceux que vous devez aimer, pour
votre mari, pour vos enfants, et cela, sans que j'y perde
rien, moi, votre vieille sœur… C'est tout petit, le cœur,
30 et c'est très grand.

Bettina tendrement embrassa sa sœur; puis, restant là,
câline, la tête sur l'épaule de Suzie:

— Si, cependant, cela vous ennuyait de me garder ici près de vous, si vous aviez hâte de vous débarrasser de moi, savez-vous ce que je ferais? Je mettrais dans une corbeille les noms de deux de ces messieurs et je tirerais au sort... Il y en a deux qui, à la rigueur, ne me seraient pas absolument désagréables.

— Lesquels deux?

— Cherchez...

— Le prince Romanelli...

— Et d'un!... A l'autre![1]...

— M. de Montessan...

— Et de deux!... C'est cela même:[2] oui, ces deux là seraient acceptables, mais seulement acceptables... et ce n'est pas assez.

Voilà pourquoi Bettina attendait avec une extrême impatience le jour du départ et de l'installation à Longueval ... Elle se sentait un peu lasse de tant de plaisirs, de tant de succès, et de tant de demandes en mariage. Le tourbillon parisien, dès son arrivée, l'avait prise, et pour ne plus la lâcher. Pas une heure de halte ni de repos... Elle éprouvait le besoin d'être livrée à elle-même, à elle seule, pendant quelques jours au moins, de se consulter et de s'interroger à loisir dans la pleine tranquillité et dans la pleine solitude de la campagne, de s'appartenir enfin...

Aussi Bettina était-elle toute guillerette et toute joyeuse, en montant, le 14 juin, à midi, dans le train qui devait la conduire à Longueval. Dès qu'elle se vit seule, dans un coupé,[3] avec sa sœur:

— Ah! s'écria-t-elle, que je suis content! Respirons un peu. En tête à tête avec vous pendant dix jours! car les Norton et les Turner ne viennent que le 25, n'est-ce pas?

— Oui, seulement le 25.

— Nous allons passer notre vie à cheval, en voiture, dans les bois, dans les champs. Dix jours de liberté! Et, pendant ces dix jours, plus d'amoureux! plus d'amoureux! Et tous ces amoureux, de quoi, mon Dieu, étaient-ils amoureux? De moi ou de mon argent? Le voilà le mystère, l'impénétrable mystère!

La machine siffla, le train s'ébranla lentement. Une idée un peu folle passa par la tête de Bettina; elle se pencha par la portière et s'écria, en accompagnant ses paroles d'un petit salut de la main:

— Adieu! mes amoureux, adieu!

Puis elle se rejeta brusquement dans un coin du coupé, prise d'un accès de fou rire.

— Oh! Suzie! Suzie!

— Qu'est-ce qu'il y a?

— Un homme avec un drapeau rouge à la main... Il m'a vue! il m'a entendue!... Et il a eu l'air si étonné!...

— Vous êtes si déraisonnable!

— Oui, c'est vrai, d'avoir ainsi crié par la portière,...
mais pas d'être heureuse de penser que nous allons vivre seules, toutes les deux, en garçons.[1]

— Seules!... seules!... Pas tant que cela.[2] Nous avons, pour commencer, deux personnes ce soir, à dîner.

— Ah! c'est vrai... mais ces deux personnes-là, je ne serai pas du tout fâchée de les revoir... Oui, je serai très contente de revoir le vieux curé, et surtout le jeune officier...

— Comment! surtout?

— Certainement... parce que c'était si touchant ce que ce notaire de Souvigny nous a raconté l'autre jour! c'est si bien ce qu'il a fait ce grand artilleur, quand il était tout petit, si bien, si bien, si bien, que je chercherai ce soir une

occasion de lui dire ce que j'en pense... et je la trouverai!
Puis Bettina, changeant brusquement le cours de la conversation:

— On a bien envoyé la dépêche télégraphique à Edwards,
hier, pour les poneys?

— Oui, hier, avant le dîner...

— Oh! vous me laisserez les conduire jusqu'au château;
cela m'amusera tant de traverser la ville et de faire une
belle entrée, arrondie,[1] sans ralentir, dans la cour, devant
le perron!... Dites... vous voulez bien?

— Oui, oui, c'est entendu, vous conduirez les poneys.

— Ah! que vous êtes gentille, ma Suzie!

Edwards, c'était le piqueur. Il était arrivé depuis trois
jours au château pour l'installation des écuries et l'organi-
sation du service. Il daigna venir lui-même au-devant de
madame Scott et de miss Percival. Il amena les quatre
poneys attelés sur le duc. Il attendait dans la cour de la
gare, et en nombreuse compagnie. On peut dire que tout
Souvigny était là. Le passage des poneys à travers la
grande rue de la ville avait fait sensation. Les habitants
s'étaient précipités hors de leurs maisons et s'interrogeant
avidement:

— Qu'est-ce que c'est que ça? se disaient-ils; qu'est-ce
que c'est?

Quelques personnes avaient hasardé cette opinion:

— Un cirque ambulant peut-être...

Mais de toutes parts on s'était récrié:

— Vous n'avez donc pas vu comme c'était tenu[2]... et
la voiture... et les harnais qui brillaient comme de l'or...
et les petits chevaux avec leurs roses blanches de chaque
côté de la tête.

La foule s'était entassée dans la cour de la gare, et les

curieux alors avaient appris qu'ils allaient avoir l'honneur
d'assister à l'arrivée des châtelaines de Longueval.

Il y eut un certain désenchantement quand les deux
sœurs se montrèrent, fort jolies, mais fort simples, dans
5 leurs costumes de voyage. Ces braves gens s'attendaient
un peu à l'apparition de deux princesses de féerie, vêtues
de soie et de brocart, étincelantes de rubis et de diamants.
Mais ils ouvrirent de grands yeux, quand ils virent Bettina
faire lentement le tour des quatre poneys, en les caressant,
10 l'un après l'autre, légèrement de la main et en examinant
d'un air entendu les détails de l'attelage. Il ne déplaisait
pas à Bettina — force est bien de le reconnaître [1] — de
faire un certain effet sur cette foule de bourgeois ébahis.

Sa petite revue passée, Bettina, sans trop se hâter, ôta
15 ses longs gants de suède et les remplaça par de gros gants
de peau de daim pris dans [2] la pochette du tablier de la voiture. Puis elle se glissa en quelque sorte sur le siège, à la
place d'Edwards, en recevant de lui les rênes et le fouet
avec une extrême dextérité et sans que les chevaux, fort
20 excités, eussent eu le temps de s'apercevoir du changement
de main. Madame Scott s'assit à côté de sa sœur. Les
poneys piétinaient, dansaient, menaçaient de pointer.

— Mademoiselle fera attention, dit Edwards; les poneys
sont très en l'air [3] aujourd'hui.

25 — N'ayez pas peur, répondit Bettina, je les connais.

Miss Percival avait la main à la fois très ferme, très lé-
gère et très juste. Elle contint les poneys pendant quelques instants, les forçant à se tenir bien à leur place dans
le rang; puis, enveloppant les deux chevaux de pointe [4]
30 d'une double et longue ondulation de son fouet, elle enleva
son petit attelage d'un seul coup, avec une incomparable
virtuosité [5] et sortit magistralement de la cour de la gare,

au milieu d'un long murmure d'étonnement et d'admiration.

Le trot des quatre poneys sonnait sur les petits pavés pointus de Souvigny. Bettina, jusqu'à la sortie de la ville, leur fit garder une allure un peu serrée;[1] mais, dès qu'elle aperçut devant elle deux kilomètres de grande route, sans montée ni descente, elle laissa les poneys se mettre progressivement dans leur train... et ils avaient un train d'enfer.[2]

— Oh! comme je suis heureuse, Suzie! s'écria-t-elle. Allons nous trotter et galoper toutes seules sur ces routes-là... Voulez-vous, Suzie, conduire les poneys? C'est un tel plaisir quand on peut ainsi leur permettre de marcher! Ils sont si allants et si sages! Tenez, prenez les rênes.

— Non, gardez-les; cela m'amuse plus de vous voir vous amuser.

— Oh! quant à m'amuser, je m'amuse! J'aime tant cela... mener à quatre, avec de l'espace pour courir!... A Paris, même le matin, je n'osais plus... on me regardait trop... cela me gênait... Et ici... personne!... personne!... personne!

Au moment où Bettina, déjà un peu grisée de grand air et de liberté, lançait triomphalement ces trois: "Personne! personne! personne!" un cavalier se montrait, s'avançant, au pas, à la rencontre de la voiture.

C'était Paul de Lavardens... Il faisait là le guet depuis une heure pour avoir le plaisir de voir passer les Américaines.

— Vous vous trompez, dit Suzie à Bettina, voici quelqu'un.

— Un paysan... Ça ne compte pas... les paysans; ça ne demande pas ma main.

— Ce n'est pas du tout un paysan. Regardez.

Paul de Lavardens, en passant à côté de la voiture, fit aux deux sœurs un salut de la plus haute correction et qui sentait tout à fait son Parisien.[1]

5 Les poneys couraient si vite que la rencontre eut la rapidité d'un éclair. Bettina s'écria:

— Qu'est-ce que c'est que ce monsieur qui vient de nous saluer?

— J'ai eu à peine le temps de le voir, mais il me semble
10 bien que je le connais.

— Vous le connaissez?

— Oui, et je parierais que je l'ai vu cet hiver chez moi.

— Mon Dieu! serait-ce un des trente-quatre? Est-ce que cela va encore recommencer?

VI

15 Ce même jour, à sept heures et demie, Jean venait chercher le curé au presbytère et tous deux prenaient la route du château.

Depuis un mois, une véritable armée d'ouvriers s'était emparée de Longueval; les auberges et les cabarets du
20 village faisaient fortune. D'immenses voitures de déménagement avaient apporté de Paris des cargaisons de meubles et de tapisseries. Quarante-huit heures avant l'arrivée de madame Scott, mademoiselle Marbeau, la directrice de la poste, et madame Lormier, la mairesse, s'étaient
25 faufilées dans le château; leurs récits faisaient tourner les têtes. Les vieux meubles avaient disparu, relégués dans les combles; on se promenait au milieu d'un véritable entassement de merveilles. Et les écuries! et les remises! Un train spécial avait amené de Paris, sous la haute sur-

veillance d'Edwards, une dizaine de voitures, et quelles
voitures! une vingtaine de chevaux, et quels chevaux!

L'abbé Constantin croyait savoir ce que c'était que le
luxe. Il dînait, une fois par an, chez son évêque, monseigneur Foubert, prélat aimable et riche, qui recevait 5
assez largement.[1] Le curé, jusqu'alors, avait pensé qu'il
ne pouvait y avoir rien au monde de plus somptueux que
le palais épiscopal de Souvigny, que les châteaux de Lavardens et de Longueval... Il commençait à comprendre
d'après ce qu'il entendait dire des splendeurs nouvelles de 10
Longueval, que le luxe des grandes maisons d'aujourd'hui
devait dépasser singulièrement le luxe sérieux et sévère
des vieilles maisons d'autrefois.

Dès que le curé et Jean eurent fait quelques pas dans
l'allée du parc qui conduisait au château: 15

— Regarde, Jean, dit le curé, quel changement! Toute
cette partie du parc était laissée à l'abandon... et voilà
que tout est sablé, ratissé... Je ne vais plus me sentir ici
chez moi comme autrefois... Ça va être trop beau! Je
ne vais plus retrouver mon vieux fauteuil de velours mar- 20
ron, où il m'arrivait si souvent de m'endormir après dîner.
Et si je m'endors ce soir, que deviendrai-je? Tu feras attention, Jean... Si tu vois que je commence à m'engourdir, tu t'approcheras de moi et tu me pinceras un peu au
bras, par derrière. Tu me le promets? 25

— Oui, mon parrain, je vous le promets.

Jean ne prêtait qu'une attention médiocre aux discours
du curé. Il se sentait une extrême impatience de revoir
madame Scott et miss Percival; mais cette impatience
était mêlée d'une très vive inquiétude. Allait-il les retrou- 30
ver, dans le grand salon de Longueval, telles qu'il les avait
vues dans la petite salle à manger du presbytère? Peut-

être, au lieu de ces deux femmes si parfaitement simples et
familières, s'amusant de cette dînette improvisée, et qui,
dès le premier jour, l'avaient accueilli avec tant de grâce
et de familiarité, peut-être allait-il retrouver deux jolies
5 poupées mondaines, élégantes, froides et correctes. Son
impression première allait-elle s'effacer?... disparaître?
Allait-elle, au contraire, se faire[1] en son cœur plus douce
et plus profonde encore?

Ils montèrent les six marches du perron et furent reçus
10 dans le vestibule par deux grands valets de pied de l'air
le plus digne et le plus imposant. Ce vestibule, autrefois,
était une immense pièce glaciale et nue dans ses murs de
pierre; ces murs, aujourd'hui, étaient recouverts d'admirables tapisseries qui représentaient des sujets mytholo-
15 giques. C'est à peine si le curé les regarda,[2] ces tapisseries;
et ce fut assez pour s'apercevoir que les déesses qui se pro-
menaient à travers ces verdures portaient des costumes
d'une antique simplicité.

L'un des valets de pied ouvrit à deux battants[3] la porte
20 du grand salon. C'était là que, d'ordinaire, se tenait la
vieille marquise, à droite de la haute cheminée, et à gauche
se trouvait le fauteuil marron. Plus de fauteuil marron!
Le vieux meuble de l'Empire,[4] qui était le fond de l'arrangement du salon, avait été remplacé par un merveilleux meu-
25 ble de tapisserie de la fin du siècle dernier. Puis un tas de
petits fauteuils et de petits poufs, de toutes les couleurs et
de toutes les formes, étaient jetés çà et là avec une apparence de désordre qui était le comble de l'art.

Madame Scott, en voyant entrer le curé et Jean, se leva,
30 et, allant à leur rencontre:

— Que vous êtes aimable, dit-elle, monsieur le curé,
d'être venu... Et vous aussi, monsieur... et que je suis

contente de vous revoir, vous, mes premiers, mes seuls amis dans ce pays?

Jean respira. C'était bien la même femme.

— Voulez-vous me permettre, ajouta madame Scott, de vous présenter mes enfants?... Harry et Bella... venez. 5

Harry était un très gentil petit garçon de six ans et Bella une très jolie petite fille de cinq ans; ils avaient les grands yeux noirs de leur mère et ses cheveux dorés.

Après que le curé eut embrassé les deux enfants, Harry, qui regardait avec admiration l'uniforme de Jean, dit à 10 sa mère:

— Et le militaire, maman, faut-il l'embrasser aussi, le militaire?

— Si vous voulez, répondit madame Scott, et s'il le veut bien. 15

Les deux enfants étaient, une minute après, installés sur les genoux de Jean et l'accablaient de questions.

— Vous êtes officier?

— Oui, je suis officier.

— Dans quoi? 20

— Dans l'artillerie.

— Les artilleurs... c'est ceux qui tirent le canon... Oh! que cela m'amuserait d'entendre tirer le canon et d'être tout près!

— Vous nous emmènerez, un jour, quand on le tirera, 25 le canon; dites, voulez-vous?

Madame Scott, pendant ce temps, causait avec le curé, et Jean, tout en répondant aux questions des enfants, regardait madame Scott. Elle avait une robe de mousseline blanche, mais la mousseline disparaissait sous une ava- 30 lanche de petits volants de valenciennes.[1] La robe était largement décolletée par devant, en carré.[2] Les bras nus

jusqu'au coude, un gros bouquet de roses rouges à l'ouverture du corsage, une rose rouge fixée dans les cheveux par
une agrafe de diamants, rien de plus.

Madame Scott s'aperçut tout à coup que Jean était
5 occupé militairement [1] par ses deux enfants:

— Oh! comme je vous demande pardon, monsieur!
Harry! Bella!...

— Je vous en prie, madame, laissez-les-moi.

— Et comme je suis contrariée de vous faire dîner si
10 tard! Ma sœur n'est pas encore descendue. Ah! la voici.

Bettina fit son entrée. La même robe de mousseline
blanche, le même petit fouillis de dentelles, les mêmes
roses rouges, la même grâce, la même beauté, et le même
accueil riant, aimable, ouvert.

15 — Je suis votre servante, monsieur le curé. M'avez-
vous pardonné mon horrible indiscrétion de l'autre jour?

Puis, se tournant vers Jean et lui tendant la main:

— Bonjour, monsieur... monsieur... Bon! voilà que [2]
je ne me rappelle plus votre nom... et cependant il me
20 semble que nous sommes déjà de vieux amis?...

— Jean Reynaud.

— Jean Reynaud... c'est cela. Bonjour, monsieur
Reynaud!... mais, je vous en préviens loyalement, quand
nous serons tout à fait de vieux amis, dans une huitaine de
25 jours, je vous appellerai monsieur Jean... C'est un très
joli nom, Jean.

On annonça le dîner. Les gouvernantes vinrent chercher les enfants. Madame Scott prit le bras du curé; Bettina, le bras de Jean... Jusqu'au moment de l'apparition
30 de Bettina, Jean s'était dit: "La plus jolie, c'est madame
Scott!" Quand il vit la petite main de Bettina se glisser
sous son bras et quand elle tourna vers lui son délicieux

visage, il se dit: "La plus jolie, c'est miss Percival!"   Mais
il retomba dans ses perplexités quand il fut assis entre les
deux sœurs.   S'il regardait à droite, c'est de ce côté qu'il
se sentait menacé de devenir amoureux... et s'il regardait à gauche, le danger se déplaçait tout aussitôt et passait   5
à gauche.

La conversation s'engagea, facile, animée, confiante...
Les deux sœurs étaient ravies.   Elles avaient déjà fait une
promenade à pied, dans le parc.   Elles se promettaient de
faire, le lendemain, une longue promenade à cheval dans   10
la forêt.   Monter à cheval, c'était leur passion, leur folie!
Et c'était aussi la passion de Jean, si bien[1] qu'au bout
d'un quart d'heure, on le priait d'être de cette promenade
du lendemain.   Il acceptait avec joie.   Personne, mieux
que lui, ne connaissait les environs: c'était son pays.   Il   15
serait si heureux de leur en faire les honneurs et de leur
montrer une foule de petits endroits ravissants, que jamais, sans lui, elles ne sauraient découvrir!

— Vous montez tous les jours à cheval? lui demanda
Bettina.   20

— Tous les jours et généralement deux fois.   Le matin
pour mon service et le soir pour mon plaisir.

— De bonne heure, le matin?

— A cinq heures et demie...

— A cinq heures et demie, tous les matins?   25

— Oui, le dimanche excepté.

— Alors, vous vous levez?

— A quatre heures et demie.

— Et il fait jour?

— Oh! en ce moment, grand jour.[2]   30

— Se lever ainsi à quatre heures et demie, c'est admirable!... Nous finissons notre journée, bien souvent, à

l'heure où vous la commencez. Et vous l'aimez, votre
métier?

— Beaucoup, mademoiselle. Cela est si bon d'avoir
son existence toute droite devant soi, avec des devoirs bien
5 nets et bien définis!

— Cependant, dit madame Scott, ne pas être son maître,
avoir toujours à obéir!...

— C'est là peut-être ce qui me va le mieux.[1] Il n'y a
rien de plus facile que d'obéir... et puis, apprendre à obéir,
10 c'est la seule façon d'apprendre à commander.

— Ah! ce que vous dites là, comme cela doit être vrai!

— Oui, sans doute, continua le curé, mais ce qu'il ne
vous dit pas, c'est qu'il est l'officier le plus distingué de son
régiment, c'est que...

15 — Mon parrain, je vous en prie...

Le curé, malgré la résistance de Jean, allait se lancer
dans le panégyrique de son filleul, quand Bettina, inter-
venant:

— C'est inutile, monsieur le curé, ne dites rien... Tout
20 ce que vous diriez, nous le savons. Nous avons eu l'indiscrétion de prendre des renseignements sur monsieur... Oh!
j'ai failli dire monsieur Jean... sur monsieur Reynaud.
Eh bien, ils ont été admirables, les renseignements !

— Je serais curieux de savoir, dit Jean.

25 — Rien... rien, vous ne saurez rien. Je ne veux pas
vous faire rougir, et vous seriez obligé de rougir.

Puis, se tournant vers le curé:

— Mais sur vous aussi, monsieur le curé, nous avons eu
des renseignements. Il paraît que vous êtes un saint...

30 — Oh! quant à cela, c'est bien vrai! s'écria Jean.

Ce fut le curé, cette fois, qui coupa court à l'éloquence
de Jean. Le dîner était sur le point de finir. Ce dîner, le

vieux prêtre ne l'avait pas traversé sans bien des émotions.
A plusieurs reprises, on lui avait présenté des constructions[1] savantes et compliquées sur lesquelles il n'avait osé
porter qu'une main tremblante; il avait peur de tout voir
s'écrouler: les châteaux branlants de gelée, les pyramides 5
de truffes, les forteresses de crème, les bastions de pâtisserie,
les rochers de glace. L'abbé Constantin dîna, d'ailleurs,
de grand appétit et ne recula pas devant deux ou trois
verres de vin de Champagne. Il ne haïssait pas la bonne
chère. La perfection n'est pas de ce monde, et, si la gour- 10
mandise était, comme on le dit, un péché capital, que[2] de
bons curés iraient en enfer!

Le café était servi sur la terrasse, devant le château; on
entendait au loin le son un peu fêlé de la vieille horloge du
village qui sonnait neuf heures. Les prés et les bois s'en- 15
dormaient. Le parc ne gardait plus que de longues lignes
indécises et ondulantes. La lune, lentement, émergeait
de la cime des grands arbres.

Bettina prit sur la table une boîte de cigares.

— Fumez-vous? dit-elle à Jean. 20

— Oui, mademoiselle.

— Prenez alors, monsieur Jean... Tant pis, je l'ai dit
... Prenez... Mais non... écoutez d'abord.

Et, parlant à demi-voix, tout en lui présentant la boîte
de cigares: 25

— Il fait nuit maintenant, vous pourrez rougir tout à
votre aise. Je vais vous dire ce que je ne vous ai pas dit
tout à l'heure, à table. Un vieux notaire de Souvigny, qui
a été votre tuteur, est venu voir ma sœur à Paris pour le
payement du château. Il nous a raconté ce que vous avez 30
fait, après la mort de votre père, quand vous n'étiez qu'un
enfant, ce que vous avez fait pour cette pauvre mère et

pour cette pauvre jeune fille. Nous avons été très atten-
dries de cela, ma sœur et moi.

— Oui, monsieur, continua madame Scott, et c'est pour
cela que nous vous avons reçu aujourd'hui avec un tel
5 plaisir. Nous n'aurions pas fait à tout le monde le même
accueil, vous pouvez en être persuadé. Eh bien, prenez
votre cigare maintenant; ma sœur est là qui attend.

Jean ne trouva pas une parole à répondre, Bettina était
là, plantée devant lui, avec la boîte de cigares dans ses
10 deux mains, les yeux fixés franchement sur le visage de
Jean. Elle goûtait ce plaisir très réel et très vif qui peut
se traduire par cette phrase:

— Il me semble que je regarde un brave garçon.

— Et maintenant, dit madame Scott, asseyons-nous
15 là, devant cette nuit charmante... Prenez votre café...
Fumez...

— Et ne parlons pas, Suzie, ne parlons pas. Ce grand
silence de la campagne après ce grand vacarme de Paris,
c'est adorable! Restons là, sans rien dire. Regardons le
20 ciel, la lune et les étoiles.

Tous les quatre, avec beaucoup de plaisir, exécutèrent ce
petit programme. Suzie et Bettina, calmes, reposées, dans
un absolu détachement de leur existence de la veille, se
prenant déjà de tendresse pour ce pays qui venait de les
25 recevoir et qui allait les garder.

Jean était moins tranquille; les paroles de miss Percival
lui avaient causé une émotion profonde; son cœur n'avait
pas encore repris tout à fait sa marche régulière.

Mais, de tous le plus heureux, c'était l'abbé Constantin.
30 Il avait joui délicieusement de ce petit épisode qui avait
mis la modestie de Jean à une si rude et si douce épreuve.
L'abbé portait à son filleul une telle affection! Le plus

"REGARDEZ DONC MONSIEUR LE CURÉ, IL DORT."

tendre des pères n'a jamais aimé d'un meilleur cœur [1] le plus cher de ses enfants. Quand le vieux curé regardait le jeune officier, il lui arrivait souvent de se dire:

— Le ciel m'a comblé! [2] je suis prêtre et j'ai un fils! 5

L'abbé se perdit dans une très agréable rêverie; il se retrouvait chez lui, il se retrouvait trop chez lui; ses idées peu à peu se confondirent et s'embrouillèrent. La rêverie devint de l'engourdissement, l'engourdissement de la somnolence; le désastre fut bientôt complet, irréparable. Le 10 curé s'endormit et s'endormit profondément. Ce dîner merveilleux et les deux ou trois verres de vin de Champagne étaient bien pour quelque chose [3] dans la catastrophe.

Jean ne s'était aperçu de rien. Il avait oublié la promesse faite à son parrain. Et pourquoi l'avait-il oubliée? 15 Parce que madame Scott et miss Percival s'étaient avisées de mettre les pieds sur des tabourets de jardin placés devant leurs grands fauteuils d'osier rembourrés de coussins. Puis elles s'étaient paresseusement renversées [4] dans les fauteuils, et leurs jupes de mousseline s'étaient relevées un 20 peu, très peu, mais assez cependant pour dégager quatre petits pieds, dont les lignes apparaissaient très distinctes et très nettes sous deux jolis flots de dentelles blanches éclairées par la lune. Jean les regardait, ces petits pieds, et se posait cette question: 25

— Lesquels sont les plus petits?

Pendant qu'il cherchait à résoudre ce problème, Bettina, tout d'un coup, lui dit à voix basse:

— Monsieur Jean! monsieur Jean!

— Mademoiselle!... 30

— Regardez donc monsieur le curé, il dort.

— Oh! mon Dieu! c'est ma faute.

— Comment! votre faute? demanda madame Scott, également à voix basse.

— Oui... Mon parrain se lève de grand matin et se couche de très bonne heure; il m'avait bien recommandé
5 de l'empêcher de s'endormir. Très souvent, chez madame de Longueval, après le dîner, il s'assoupissait. Vous l'avez accueilli avec une telle bonté, qu'il a repris ses habitudes d'autrefois.

— Et comme il a eu raison! dit Bettina. Ne faisons
10 pas de bruit, ne le réveillons pas.

— Vous êtes excellente, mademoiselle; mais la soirée devient un peu fraîche.

— Ah! c'est vrai... Il pourrait s'enrhumer. Attendez, je vais aller chercher un de mes manteaux.

15 — Je crois, mademoiselle, qu'il vaudrait mieux tâcher de le réveiller adroitement pour qu'il ne se doute pas que vous l'avez vu dormir.

— Laissez-moi faire, dit Bettina. Suzie, chantons ensemble, tout bas d'abord, puis nous élèverons peu à peu la
20 voix... Chantons.

— Volontiers!... mais que chanter?

— Chantons: *Something childish* [1]... Les paroles sont de circonstance.

If I had but two little wings
25 And were a little feathery bird, *etc.*

Leurs voix douces et pénétrantes avaient, dans ce profond silence, une exquise sonorité. L'abbé n'entendait rien, ne bougeait pas. Charmé de ce petit concert, Jean se disait:
30 — Pourvu que mon parrain ne se réveille pas trop tôt!

Les voix cependant devenaient plus claires et plus
hautes:

> But in my sleep to you I fly;
> I'm always with you in my sleep, *etc.* . . .

Et l'abbé continuait à ne pas broncher.   5

— Comme il dort!. . . dit Suzie; c'est un crime de le
réveiller.

— Il le faut bien![1]. . . Plus haut, Suzie, plus haut!

Suzie et Bettina laissèrent éclater librement l'accord de
leurs deux voix: 10

> Sleep stays not, though a monarch bids:
> So I love to wake ere break of day, *etc.*

Le curé se réveilla en sursaut.   Après un court moment
d'inquiétude, il respira. . . Personne, évidemment, ne
s'était aperçu qu'il avait dormi.   Il se redressa, se détira 15
prudemment, lentement. . . Il était sauvé!

Un quart d'heure après, les deux sœurs reconduisaient le
curé et Jean jusqu'à la petite porte du parc, qui ouvrait
sur le village, à une centaine de pas du presbytère.   On
approchait de cette porte, lorsque Bettina dit à Jean tout 20
à coup:

— Ah! monsieur, j'ai depuis trois heures une question
à vous adresser.   Ce matin, en arrivant, nous avons rencontré, sur la route, un jeune homme mince, avec des
moustaches blondes; il montait un cheval noir; il nous a 25
saluées au passage.[2]

— C'est Paul de Lavardens, un de mes amis.   Il a déjà
eu l'honneur de vous être présenté. . . mais un peu vaguement.   Aussi son ambition est-elle de vous être représenté.

— Eh bien, vous nous l'amènerez un de ces jours, dit 30
madame Scott.

— A partir du 25,[1] s'écria Bettina... Pas avant! pas avant! Personne jusque-là, nous ne voulons voir personne, excepté vous, monsieur Jean... mais vous, c'est très extraordinaire, et je ne sais pas trop comment cela s'est fait,[2] vous n'êtes déjà plus personne pour nous... Le compliment n'est peut-être pas très bien tourné, mais ne vous y trompez pas, c'est un compliment... J'ai l'intention d'être excessivement aimable en vous parlant ainsi.

— Et vous l'êtes, mademoiselle.

10 — Tant mieux si j'ai eu le bonheur de me faire bien comprendre... Au revoir, monsieur Jean, et à demain.[3]

Madame Scott et miss Percival reprirent lentement le chemin du château.

15 — Et maintenant, Suzie, dit Bettina, grondez-moi bien fort... Je m'y attends[4]... Je l'ai mérité.

— Vous gronder! Pourquoi?

— Vous allez dire, j'en suis sûre, que j'ai été trop familière avec ce jeune homme.

20 — Non, je ne vous dirai pas cela... Ce jeune homme a fait sur moi, dès le premier jour, la plus heureuse impression. Il m'inspire une confiance absolue.

— Et à moi aussi.

— Je suis persuadée qu'il sera bien de nous appliquer 25 toutes deux à nous en faire un ami.

— De tout mon cœur, quant à moi... D'autant mieux, Suzie, que j'ai déjà vu bien des jeunes gens, depuis que nous vivons en France... Oh! oui, j'en ai vu!... eh bien, celui-là est le premier — positivement le premier — dans 30 les yeux duquel je n'ai pas lu clairement cette phrase: "Mon Dieu! que je serais donc content d'épouser les millions de cette petite personne-là!" Cela était écrit distinctement dans les yeux de tous les autres.... et pas dans ses yeux à lui.... Là-dessus, nous voilà rentrées [1]... Bonsoir, Suzie, et à demain.

Madame Scott alla voir ses enfants et les embrasser endormis.

Bettina resta longuement accoudée sur la balustrade de son balcon.

— Il me semble, se disait-elle, que je vais aimer ce pays.

VII

Le lendemain matin, au retour de la manœuvre, Paul de Lavardens attendait Jean dans la cour du quartier. Il lui laissa à peine le temps de descendre de cheval... et, dès qu'il le tint seul à seul:

— Raconte, lui dit-il, vite, ton dîner d'hier; raconte. Je les avais vues, moi, le matin. La petite conduisait quatre poneys noirs... et avec une crânerie!... Je les ai saluées... As-tu parlé de moi? M'ont-elles reconnu? Quand me conduis-tu à Longueval? Mais réponds-moi, réponds-moi donc!

— Répondre! répondre!... A quelle question d'abord?

— A la dernière.

— Quand je te conduirai à Longueval?

— Oui.

— Eh bien, dans une dizaine de jours. Elles ne veulent voir personne en ce moment.

— Alors tu ne retourneras à Longueval que dans une dizaine de jours?

— Oh! moi, j'y retourne aujourd'hui, à quatre heures. Mais, moi, je ne compte pas. Jean Reynaud, le filleul du curé!... Voilà pourquoi j'ai pénétré si facilement dans la

confiance de ces deux charmantes femmes; je me suis
présenté sous le patronage et avec la garantie de l'Église...
Et puis on a découvert que je pouvais rendre de petits
services; je connais très bien le pays; on va m'utiliser
5 comme guide... Enfin, je ne suis personne, moi, tandis
que toi, comte Paul de Lavardens, toi, tu es quelqu'un!
Aussi, ne crains rien, ton tour viendra avec les fêtes et les
bals, quand il faudra briller, quand il faudra danser. Tu
resplendiras alors de tout ton éclat et je rentrerai fort
10 humblement dans mon obscurité.

— Moque-toi de moi tant qu'il te plaira... Il n'en est
pas moins vrai que, pendant ces dix jours, tu vas prendre
une avance... une avance!...

— Comment! une avance?

15 — Voyons, Jean, est-ce que tu veux essayer de me faire
croire que tu n'es pas déjà amoureux de l'une de ces deux
femmes? Est-ce possible? Tant de beauté! tant de luxe!
Oh!... le luxe peut-être encore plus que la beauté! Le
luxe, à ce degré-là, ça me renverse, ça me bouleverse! Ces
20 quatre poneys noirs avec leurs roses blanches en cocarde,
j'en ai rêvé cette nuit... Et cette petite... Bettina...
n'est-ce pas?

— Oui, Bettina.

— Bettina!... comtesse Bettina de Lavardens! Est-ce
25 assez gentil! Et quelle perfection de petit mari elle aurait
en moi! Être le mari d'une femme follement riche, voilà
ma destinée! Ce n'est pas aussi facile qu'on peut le sup-
poser! Il faut savoir être riche, et j'aurais ce talent-là.
J'ai fait mes preuves; j'en ai déjà mangé, de l'argent... et
30 si maman ne m'avait pas arrêté!... Mais je suis tout prêt
à recommencer... Ah! comme elle serait heureuse avec
moi! Je lui ferais une existence de princesse de féerie...

Elle sentirait dans son luxe le goût, l'art et la science de
son mari... Je passerais ma vie à l'attifer, à la pomponner, à la bichonner, à la promener triomphante à travers
le monde. J'étudierais sa beauté pour bien la mettre dans
le cadre qui lui conviendrait... "S'il n'était pas là, se di-
rait-elle, je serais moins jolie..." Je ne saurais pas seulement l'aimer, je saurais l'amuser... Elle en aurait [1] pour
son argent, et de l'amour, et du plaisir!... Allons, Jean,
un bon mouvement; [2] conduis-moi aujourd'hui chez madame Scott.

— Je ne peux pas, je t'assure.

— Eh bien, dans dix jours seulement; mais alors, je
t'en préviens, je m'installe à Longueval et je n'en bouge
plus. D'abord, ça fera plaisir à maman. Elle est encore
un peu montée [3] contre les Américaines; elle dit qu'elle
s'arrangera pour ne pas les voir, mais je la connais, maman! Le jour où je lui dirai, un soir, en rentrant:
"Maman, j'ai gagné le cœur d'une charmante petite personne qui est affligée d'un capital d'une vingtaine de millions et d'un revenu de deux ou trois millions..." On
exagère quand on parle de centaines de millions; les
vrais chiffres, les voilà, et ils me suffisent... Ce soir-là,
elle sera enchantée, maman...parce que, au fond, qu'est-
qu'elle désire pour moi? Ce que toutes les bonnes mères
désirent pour leurs fils, surtout quand leurs fils ont fait
des bêtises... Tu auras seulement, dans dix jours, la
complaisance de me prévenir... Tu me feras savoir laquelle des deux tu m'abandonnes: Madame Scott ou miss
Percival...

— Tu es fou. Je ne pense et ne penserai pas plus...

— Écoute, Jean, tu es la sagesse et la raison mêmes,
d'accord; mais tu auras beau dire et beau faire [4]...

Écoute, et rappelle-toi bien ce que je te dis là: Jean, tu
seras amoureux dans cette maison-là.

— Je ne crois pas, répondit Jean en riant.

— Et moi, j'en suis sûr... Au revoir! je te laisse à
5 tes affaires.

Jean, ce matin-là, était parfaitement sincère. Il avait
très bien dormi la nuit précédente. Sa seconde entrevue
avec les deux sœurs avait, comme par enchantement, dissipé le léger trouble qui avait agité son âme, après la
10 première rencontre. Il se préparait à les revoir avec
beaucoup de plaisir, mais avec beaucoup de tranquillité. Il y avait trop d'argent dans cette maison-là, pour
que l'amour d'un pauvre diable tel que lui pût y trouver
place honnêtement.

15 L'amitié, c'était une autre affaire. De tout son cœur il
souhaitait, et de toutes ses forces il allait essayer de s'établir bien paisiblement dans l'estime et l'affection de ces
deux femmes. Il tâcherait de ne pas trop s'apercevoir de
la beauté de Suzie et de Bettina; il tâcherait de ne plus
20 s'oublier, comme il l'avait fait la veille, dans la contempla-
tion de ces quatre petits pieds posés sur deux tabourets de
jardin. On lui avait dit bien franchement, bien cordialement: "Vous serez notre ami." Voilà tout ce qu'il désirait! Être leur ami! Et il le serait!

25 Tout, pendant les dix jours qui suivirent, tout conspira
pour le succès de cette entreprise. Suzie, Bettina, l'abbé
et Jean vécurent de la même vie, dans la plus étroite et
dans la plus confiante intimité. Les deux sœurs faisaient,
dans la matinée, de longues promenades en voiture avec le
30 curé; et, dans l'après-midi, avec Jean, de longues promenades à cheval.

Jean ne cherchait plus à analyser ses sentiments; il ne

se demandait plus s'il allait pencher à droite ou à gauche. Il se sentait pour ces deux femmes un égal dévouement, une égale affection. Il était complètement heureux, complètement tranquille. Donc il n'était pas amoureux, car l'amour et la tranquillité font rarement bon ménage dans le même cœur.

Jean, cependant, voyait, avec un peu d'inquiétude et de tristesse, s'approcher le jour qui allait amener à Longueval les Turner, les Norton, et tout le flot de la colonie américaine. Ce jour vint très vite.

Le vendredi 24 juin, à quatre heures, Jean arrivait au château. Bettina le reçut toute chagrine.

— Quel contretemps! lui dit-elle, voilà ma sœur souffrante. Un peu de migraine, rien du tout. Il n'y paraîtra plus demain; mais enfin je n'ose pas aller me promener avec vous toute seule. Là-bas, en Amérique, j'oserais; mais ici, non, n'est-ce pas?

— Assurément non, répondit Jean.

— Je suis obligée de vous renvoyer, et cela me fait beaucoup de peine.

— Cela me fait, à moi aussi, beaucoup de peine de m'en aller et de perdre cette dernière journée que j'espérais passer avec vous. Cependant, puisqu'il le faut!... Je viendrai demain prendre des nouvelles de votre sœur.

— Elle vous en donnera elle-même. Je vous le répète, ce n'est rien du tout. Mais ne vous sauvez pas si vite, je vous en prie. Voulez-vous m'accorder un tout petit quart d'heure d'entretien? J'ai à vous parler. Asseyez-vous là... et maintenant, écoutez-moi bien. Nous avions, ma sœur et moi, l'intention de vous bloquer ce soir, après dîner, dans un petit coin du salon, et c'est alors ma sœur qui aurait porté la parole, c'est elle qui vous aurait dit ce

que je vais essayer de dire en notre nom à toutes les deux.[1]
mais je suis un peu émue... Ne riez pas; c'est très sérieux.
Nous voulions vous remercier, toutes les deux, d'avoir été,
depuis notre arrivée, si aimable, si bon, si dévoué, si...

5   — Oh! mademoiselle, je vous en prie, c'est à moi [2]...

— Oh! ne m'interrompez pas... vous allez m'embrouiller... Je ne saurai plus m'en tirer [3]... Je maintiens, d'ailleurs, que c'est à nous de remercier, pas à vous. Nous
arrivions ici comme deux étrangères. Nous avons eu la
10 joie d'y trouver tout de suite des amis... oui, des amis.
Vous nous avez prises par la main... vous nous avez
menées chez nos fermiers, chez nos gardes, pendant que
votre parrain nous menait chez ses pauvres... et partout
on vous aimait tant, que, tout de suite, de confiance, on
15 s'est mis, sur votre recommandation, à nous aimer un
peu... On vous adore dans ce pays, le savez-vous?

— J'y suis né... Tous ces braves gens me connaissent
depuis mon enfance et me sont reconnaissants de ce que
mon grand-père et mon père ont fait pour eux. Et puis...
20 je suis de leur race, de la race des paysans. Mon arrière-
grand-père était un cultivateur de Bargecourt, un village
à deux lieues d'ici.

— Oh! oh! vous avez l'air bien fier de cela!

— Ni fier, ni humilié.

25   — Je vous demande pardon... vous avez eu un petit
mouvement d'orgueil! Eh bien, je vous répondrai, moi,
que l'arrière-grand-père de ma mère était fermier en Bre-
tagne. Il s'en est allé au Canada, à la fin du siècle dernier, quand le Canada était encore la France [4]... Et vous
30 l'aimez beaucoup, ce pays où vous êtes né?

— Beaucoup. Je serai bientôt peut-être obligé de le
quitter.

— Pourquoi cela?

— Quand j'aurai de l'avancement, on m'enverra dans un autre régiment, et je me promènerai de garnison en garnison... Mais assurément, quand je serai un vieux commandant ou un vieux colonel en retraite, je viendrai vivre 5 et mourir ici, dans la petite maison de mon père.

— Toujours tout seul?

— Pourquoi tout seul?... J'espère bien que non...

— Vous avez l'intention de vous marier?

— Oui, certainement. 10

— Et vous cherchez à vous marier?

— Non, on peut penser à se marier, mais on ne doit pas chercher à se marier.

— Il y a cependant des gens qui cherchent... allez, je vous en réponds... et même, vous, on a voulu vous ma- 15 rier.

— Comment savez-vous cela?

— Ah! je connais si bien toutes vos petites affaires!... Vous êtes ce qui s'appelle *un bon parti*... et, je le répète, on a voulu vous marier. 20

— Qui vous a dit cela?

— Monsieur le curé.

— Mon parrain a eu tort, dit Jean, avec une certaine vivacité.

— Non, non, il n'a pas eu tort. Si quelqu'un a été 25 coupable, c'est moi, et coupable par charité, non par curiosité, je vous le jure. J'ai découvert que votre parrain n'était jamais si heureux que lorsqu'il parlait de vous; alors moi, le matin, quand je suis seule avec lui, pendant nos promenades, pour lui faire plaisir, je lui parle de vous, 30 et il me raconte votre histoire. Vous êtes à votre aise, vous êtes très à votre aise... Vous recevez du gouverne-

ment deux cent treize francs par mois... et des centimes.
Est-ce bien cela?

— Oui, dit Jean, se décidant à prendre de bonne grâce
son parti des indiscrétions du curé.[1]

5   — Vous avez huit mille francs de rente.

— A peu près, pas tout à fait.

— Ajoutez à cela votre maison, qui vaut une trentaine
de mille francs. Enfin vous êtes dans une excellente
situation, et on a déjà demandé votre main.

10   — Demandé ma main?... Non! non!

— Si fait![2] si fait! Deux fois... et vous avez refusé
deux très beaux mariages, deux très belles dots, si vous
aimez mieux. C'est la même chose pour tant de gens!
Deux cent mille francs d'une part, trois cent mille de

15 l'autre. Il paraît que c'est énorme pour le pays! donc
vous avez refusé. Dites-moi pourquoi? Si vous saviez
comme je suis curieuse de savoir!

— Eh bien, il s'agissait de deux jeunes filles charmantes...

— C'est entendu? on dit cela toujours.

20   — Mais que je connaissais à peine. On m'a forcé, —
car je faisais résistance, — on m'a forcé à passer avec elles
deux ou trois soirées, l'hiver dernier.

— Et alors?

— Alors, je ne sais pas trop comment vous expliquer, je

25 n'ai éprouvé aucun sentiment d'embarras, d'émotion, d'inquiétude, de trouble...

— Enfin, dit résolument Bettina, pas le plus léger soupçon d'amour.

— Non, pas le moindre... et je suis rentré bien sage-

30 ment dans mon petit trou de garçon;[3] car je pense qu'il
vaut mieux ne pas se marier que se marier sans amour.
Voilà mon opinion.

— Et c'est aussi la mienne.

Elle le regardait. Il la regardait. Et brusquement, à leur grande surprise à tous les deux, ils ne trouvèrent plus rien à se dire, plus rien du tout.

Par bonheur, à ce moment, Harry et Bella, avec de 5 grands cris de joie, se précipitèrent dans le salon.

— Monsieur Jean! monsieur Jean! vous êtes là, monsieur Jean? Venez voir nos poneys.

— Ah! dit Bettina, d'une voix un peu incertaine, Edwards est revenu tout à l'heure de Paris, et il a ramené 10 pour les enfants des poneys microscopiques. Allons les voir, voulez-vous?

On alla voir les poneys, qui étaient dignes, en effet, de figurer dans les écuries du roi de Lilliput.[1]

VIII

Trois semaines se sont écoulées. Jean, le lendemain, 15 doit partir avec son régiment pour les écoles à feu;[2] il va vivre de son existence de soldat: dix jours d'étapes sur les grandes routes pour l'aller et le retour, et dix jours sous la tente, au camp de Cercottes, dans la forêt d'Orléans. Le régiment rentrera à Souvigny le 10 août. 20

Jean n'est plus tranquille; Jean n'est plus heureux. Le moment de ce départ, il le voit venir avec impatience et, en même temps, avec effroi... Avec impatience, car il souffre un véritable martyre; il a hâte d'y échapper... Avec effroi, car, pendant ces vingt jours, sans la voir, 25 sans lui parler, sans elle enfin, que deviendra-t-il? Elle, c'est Bettina! il l'adore!

Depuis quand? Depuis le premier jour, depuis cette rencontre, au mois de mai, dans le jardin du curé! Voilà

la vérité! Mais Jean lutte et se débat contre cette vérité.
Il croit n'aimer Bettina que depuis ce jour où tous deux
causaient gaiement, amicalement, dans le petit salon.
Elle était assise sur le divan bleu, près de la fenêtre, et,
5 tout en bavardant, s'amusait à réparer le désordre de la
toilette d'une princesse japonaise, une poupée de Bella, qui
traînait sur un fauteuil, et que Bettina, machinalement,
avait ramassée.

Pourquoi la fantaisie vint-elle à miss Percival de lui
10 parler de ces deux jeunes filles qu'il aurait pu épouser?
La question, d'ailleurs, ne l'avait nullement embarrassé.
Il répondit que, s'il ne s'était senti alors aucun goût pour
le mariage, c'est que ses entrevues avec ces deux jeunes
filles ne lui avaient causé aucune émotion, aucune agita-
15 tion. Il souriait en parlant ainsi; mais, quelques instants
après, il ne souriait plus. Ces émotions, ces agitations, il
apprenait soudainement à les connaître. Jean ne se fit
pas d'illusion; il se rendit compte de la profondeur de la
blessure; elle avait porté en plein cœur.[2]

20 Jean, cependant, ne s'abandonna pas. Ce jour-là
même, en partant, il se disait: "Oui, c'est grave, très
grave, mais j'en reviendrai." Il cherchait une excuse à sa
folie; il s'en prenait aux circonstances.[3] Cette délicieuse
fille, depuis dix jours, avait été trop à lui, trop à lui seul!
25 Comment résister à une pareille tentation? Il s'était grisé
de son charme, de sa grâce, de sa beauté. Mais, le lendemain, vingt personnes allaient arriver au château, et ce
serait la fin de cette dangereuse intimité. Il aurait du
courage, s'écarterait, se perdrait dans la foule, verrait Bet-
30 tina moins souvent et de moins près... Ne plus la voir, il
n'y pouvait songer! Il voulait rester l'ami de Bettina,
puisqu'il ne pouvait être que son ami. Car il était une

autre pensée qui n'entrait même pas dans l'esprit de Jean;
cette pensée ne lui paraissait pas extravagante, elle lui
paraissait monstrueuse. Il n'y avait pas au monde de plus
honnête homme que Jean, et l'argent de Bettina lui faisait
horreur, positivement horreur. 5

La foule, en effet, à partir du 25 juin, avait envahi
Longueval. Madame Norton était arrivée avec son fils
Daniel Norton, et madame Turner avec son fils Philip
Turner; tous deux, le jeune Daniel et le jeune Philip, faisaient partie de la fameuse confrérie des Trente-Quatre.[1] 10
C'étaient d'anciens amis; Bettina les avait traités comme
tels, et leur avait déclaré, avec une pleine franchise, qu'ils
perdaient absolument leur temps; ils ne se décourageaient
pas cependant, et formaient le centre d'une petite cour fort
empressée, fort assidue autour de Bettina. 15

Paul de Lavardens avait fait son entrée en scène et était
devenu très rapidement l'ami de tout le monde. Il avait
reçu cette éducation brillante et compliquée d'un jeune
homme qui se destine au plaisir; dès qu'il ne s'agissait
que de s'amuser: cheval, croquet, lawn-tennis, polo, danse, 20
charades et comédies, il était prêt à tout, il excellait en
tout. Sa supériorité éclata, s'imposa. Paul devint, de
l'assentiment général, le directeur et l'organisateur des
fêtes de Longueval.

Bettina n'eut pas une minute d'hésitation. Jean venait 25
de lui présenter Paul de Lavardens, et celui-ci achevait à
peine le petit compliment de rigueur, que Bettina, se penchant vers Suzie, lui disait à l'oreille:

— Le trente-cinquième!

Elle fit cependant bon accueil à Paul, et si bon accueil, 30
que celui-ci, pendant quelques jours, eut la faiblesse de
s'y méprendre. Il crut que ses grâces personnelles lui

valaient cette très aimable et très cordiale réception.
C'était une grande erreur. Il avait été présenté par
Jean; il était l'ami de Jean; aux yeux de Bettina, tout
son mérite était là.

5   Le château de madame Scott était ville ouverte;[1] on
n'était pas invité pour un soir, mais pour tous les soirs; et
Paul, avec enthousiasme, s'était mis à venir tous les soirs.
Son rêve était réalisé. Il retrouvait Paris à Longueval!

Seulement Paul n'était ni sot ni fat. Sans nul doute il
10 était, de la part de miss Percival, l'objet d'attentions et de
faveurs toutes particulières; elle se plaisait à causer longuement, très longuement, seule à seul avec lui... mais
quel était l'éternel, l'inépuisable sujet de ces conversations?
Jean, encore Jean, toujours Jean!

15   Paul était léger, dissipé, frivole, mais il devenait sérieux
dès qu'il était question de Jean; il savait l'apprécier, il
savait l'aimer. Rien ne lui était plus doux, rien ne lui
était plus facile que de dire de son ami d'enfance tout le
bien qu'il en pensait. Et comme il voyait que Bettina
20 prenait grand plaisir à l'écouter, Paul donnait libre cours
à son éloquence.

Seulement Paul — et c'était bien son droit — voulut, un
soir, avoir le bénéfice de sa conduite chevaleresque. Il
venait de causer pendant un quart d'heure avec Bettina.
25 L'entretien terminé, il s'en était allé trouver Jean, de
l'autre côté du salon, et lui avait dit:

— Tu m'as laissé le champ libre... et je me suis lancé
intrépidement sur miss Percival.

— Eh bien, tu n'as pas lieu d'être mécontent du résultat
30 de l'entreprise. Vous voilà les meilleurs amis du monde.

— Oui, certainement... Ça va... ça va... et ça ne va
pas.[2] Il n'y a rien de plus aimable et de plus charmant que

miss Percival; mais enfin, j'ai du mérite à le reconnaître, car là, entre nous, elle me fait jouer un rôle ingrat et ridicule, un rôle qui n'est pas de mon âge. J'ai l'âge des amoureux, moi, je n'ai pas l'âge des confidents.

— Des confidents? 5

— Oui, mon cher, des confidents! Voilà mon emploi dans cette maison! Tu nous regardais tout à l'heure... Oh! j'ai de bons yeux... Tu nous regardais... Eh bien, sais-tu de quoi nous parlions? De toi, mon cher, de toi, rien que de toi! Et c'est la même chose tous les soirs. 10 Des questions à n'en plus finir:[1] "Vous avez été élevés ensemble? Vous avez pris des leçons tous les deux avec l'abbé Constantin? Il sera bientôt capitaine! Et après? — Commandant.[2] — Et après? — Colonel, et cætera...et cætera"... Ah! Jean, mon ami Jean, si tu voulais faire 15 un beau rêve!...

Jean se fâcha, s'emporta presque. Paul fut très étonné de cet accès de brusque irritation.

— Qu'est-ce que tu as? Il me semble que je n'ai rien dit... 20

— Je te demande pardon. J'ai eu tort; mais aussi pourquoi te passe-t-il par la tête une idée tellement absurde?...

— Absurde?... Je ne vois pas... Je l'ai bien eue pour mon propre compte, cette idée absurde.

— Ah! toi... 25

— Comment! ah! moi?... Si je l'ai eue, tu peux l'avoir ...Tu vaux mieux que moi...

— Paul, je t'en supplie!...

Le malaise de Jean était évident.

— N'en parlons plus... n'en parlons plus... Ce que je 30 voulais dire, en somme, c'est que miss Percival me trouve bien gentil, bien gentil, bien gentil; mais, quant à me

prendre au sérieux, jamais elle ne me prendra au sérieux,
cette petite personne-là.   Je vais me rabattre sur madame
Scott, sans grande confiance... Vois-tu, Jean, je m'amu-
serai dans cette maison-là, mais je n'y ferai pas mes
5 frais.[1]

Paul se rabattit sur madame Scott; mais, dès le lendemain, il eut la surprise de se heurter à Jean; celui-ci, en
effet, se mit à venir prendre place, très régulièrement,
dans le cercle particulier de madame Scott, qui, tout
10 comme Bettina, avait sa petite cour.   Ce que Jean
venait chercher là, c'était une protection, un abri, un lieu
d'asile.

Le jour de ce redoutable entretien sur les mariages sans
amour, Bettina, elle aussi, pour la première fois, avait
15 senti soudainement s'éveiller en elle ce besoin d'aimer qui
dort, mais pas très profondément, dans le cœur de toutes
les jeunes filles.   La sensation avait été la même, au même
moment, et dans l'âme de Jean, et dans l'âme de Bettina.
Lui, épouvanté, s'était brusquement rejeté en arrière.
20 Elle, au contraire, s'était laissée aller, dans toute la naïveté
de sa pleine innocence, à cet accès d'émotion et d'attendrissement.

Elle attendait l'amour... si c'était l'amour!   L'homme
qui devait être sa pensée, sa vie, son âme, si c'était lui, ce
25 Jean!   Pourquoi non?   Elle le connaissait mieux qu'elle
ne connaissait tous ceux qui, depuis un an, avaient tour-
billonné autour de sa fortune, et dans ce qu'elle savait de
lui, rien n'était fait pour décourager la confiance et l'amour
d'une honnête fille.   Loin de là!

30   Tous deux, en somme, faisaient bien, tous deux étaient
dans le devoir et dans la vérité: elle, en se livrant; lui, en
résistant; elle, en ne songeant pas une minute à l'obscu-

rité de Jean, à sa pauvreté; lui, en reculant devant cette
montagne de millions, comme il aurait reculé devant un
crime; elle, en pensant qu'elle n'avait pas le droit de discuter avec l'amour; lui, en pensant qu'il n'avait pas le
droit de discuter avec l'honneur.

Voilà pourquoi, à mesure que Bettina se faisait plus
tendre et s'abandonnait avec plus de franchise au premier
appel de l'amour, voilà pourquoi Jean devenait, de jour
en jour, plus sombre et plus agité. Il n'avait pas seulement peur d'aimer; il avait peur d'être aimé.

Il aurait dû rester chez lui, ne pas venir... Il avait es-
sayé, il n'avait pas pu... La tentation était trop forte et
l'emportait. Il arrivait donc... Elle venait aussitôt à
lui, les mains tendues, le sourire aux lèvres et le cœur dans
les yeux. Tout en elle disait: "Essayons de nous aimer,
et, si nous pouvons, aimons-nous!"

La peur le prenait. Ces deux mains qui allaient au-
devant de l'étreinte de ses deux mains, c'est à peine s'il
osait les toucher. Il tâchait d'échapper à ce regard qui,
tendre et riant, inquiet et curieux, cherchait son regard.
Il tremblait devant la nécessité de parler à Bettina, devant
la nécessité de l'entendre. C'est alors que Jean se réfu-
giait auprès de madame Scott, et c'est alors que madame
Scott recueillait des paroles indécises, émues, troublées,
qui ne s'adressaient pas à elle et qu'elle prenait pour elle,
cependant.

Suzie ne pouvait guère ne pas s'y méprendre.[1] Des sentiments encore vagues et confus qui l'agitaient, Bettina
ne lui avait rien dit. Elle gardait et caressait le secret de
son amour naissant, comme un avare garde et caresse les
premiers louis de son trésor... Le jour où elle verrait
clair dans son cœur, le jour où elle serait sûre d'aimer, ah!

comme elle parlerait ce jour-là, et comme elle serait heureuse de tout dire à Suzie!…

Madame Scott avait fini par s'attribuer l'honneur de
cette mélancolie de Jean, qui prenait, de jour en jour, un
5 caractère plus marqué.   Elle en était flattée, — il ne dé-
plaît jamais à une femme de se croire aimée, — elle en
était donc flattée, mais chagrine en même temps.   Elle
tenait Jean en grande estime, en grande affection: cela
l'affligeait de penser que, s'il était triste et malheureux,
10 c'était à cause d'elle.

Suzie avait, d'ailleurs, le sentiment de son innocence.
Avec les autres, quelquefois elle était coquette, très coquette.   Les tourmenter un peu, était-ce donc bien un
grand crime?   Ils n'avaient rien à faire, les autres, ils
15 n'étaient bons à rien; cela les occupait, tout en l'amusant;
cela leur faisait passer le temps, et à elle aussi… Mais Suzie n'avait pas à se reprocher d'avoir été coquette avec
Jean.   Elle se rendait compte de son mérite et de sa supériorité; il valait mieux que les autres; il était homme à
20 souffrir sérieusement, et c'est là ce que madame Scott ne
voulait pas.   Aussi déjà, à deux ou trois reprises, avait-
elle été sur le point de lui parler bien doucement, bien affectueusement, mais elle avait réfléchi… Jean allait partir
pour une vingtaine de jours; à son retour, si cela était en-
25 core nécessaire, elle lui ferait un peu de morale [1] et saurait
s'y prendre de telle manière, que l'amour ne viendrait pas
se jeter sottement à la traverse de leur amitié.

Donc Jean partait le lendemain… Bettina avait in-
sisté de toutes ses forces pour qu'il vînt passer cette jour-
30 née à Longueval et pour qu'il dînât au château.   Jean
avait refusé, alléguant ses occupations à la veille de ce
départ.   Il arriva le soir, vers dix heures et demie; il était

venu à pied; à plusieurs reprises, sur la route, il avait failli
retourner sur ses pas.

— Si j'avais du courage, se disait-il, je ne la reverrais
pas. Je pars demain et ne reviendrai plus à Souvigny,
tant qu'elle y sera... Ma résolution est prise et bien prise. 5

Mais il continua son chemin; il voulait la voir encore...
pour la dernière fois.

Dès qu'il entra dans le salon, Bettina accourut au-devant
de lui:

— C'est vous, enfin!... Comme il est tard! 10

— J'ai été très occupé.

— Et vous partez demain?

— Oui, demain.

— De bonne heure?

— A cinq heures du matin. 15

— Vous vous en irez par la route qui longe le mur du
parc et traverse ensuite le village?

— Oui, c'est bien par cette route-là que nous partons.

— Pourquoi est-ce d'aussi grand matin? Je serais allée
vous voir passer et vous dire adieu du haut de la terrasse. 20

Bettina tenait et gardait dans sa main la main de Jean,
qui était brûlante. Celui-ci se dégagea douloureusement,
par un effort.

— Il faut, dit-il, que j'aille saluer votre sœur.

— Tout à l'heure!... elle ne vous a pas vu... il y a 25
dix personnes autour d'elle... Venez vous asseoir un peu,
là, près de moi.

Il fut obligé de s'asseoir à ses côtés.

— Nous aussi, dit-elle, nous allons partir.

— Vous? 30

— Oui, nous avons reçu, il y a une heure, une dépêche
de mon beau-frère qui nous a causé une bien grande joie.

Il ne devait revenir que dans un mois; il revient dans
douze jours; il s'embarque après-demain matin à New-
York sur *le Labrador*... Nous irons l'attendre au Havre
... Nous partirons après-demain. Nous emmenons les
5 enfants. Cela leur fera du bien, de passer une dizaine
de jours au bord de la mer... Comme il sera content,
mon beau-frère, de vous connaître!... De vous connaître?... Il vous connaît déjà. Nous lui avons parlé
de vous dans toutes nos lettres. Je suis sûre que vous
10 vous entendrez à merveille avec lui. Il est excellent...
Vous resterez là-bas combien de temps?

— Vingt jours.

— Vingt jours... dans un camp?

— Oui, mademoiselle, le camp de Cercottes.

15 — Au milieu de la forêt d'Orléans. Je me suis fait expliquer cela ce matin par votre parrain. Je suis heureuse
assurément d'aller au-devant de mon beau-frère, mais, en
même temps, je suis un peu fâchée de partir; sans cela,
tous les matins, j'aurais fait une petite visite à votre par-
20 rain... Il m'aurait donné de vos nouvelles. Voulez-vous,
dans une dizaine de jours, écrire à ma sœur une toute petite lettre de quatre lignes, — cela ne vous prendra pas
beaucoup de temps, — pour lui dire comment vous vous
portez et pour lui dire aussi que vous ne nous oubliez pas?

25 — Oh! quant à vous oublier... quant à perdre le souvenir de votre grâce, de votre bonté... jamais! mademoiselle! jamais!

Sa voix était tremblante. Il eut peur de son émotion.
Il se leva.

30 — Je vous assure, mademoiselle, qu'il faut que j'aille
saluer votre sœur... Elle me regarde... Elle doit être
étonnée...

Il traversa le salon.   Bettina le suivait des yeux.   Madame Norton venait de s'installer au piano pour faire valser les jeunes gens.   Paul de Lavardens s'approcha de miss Percival:

— Voulez-vous me faire l'honneur, mademoiselle?...   5

— Mon Dieu, répondit-elle, je crois bien que je viens de promettre à monsieur Jean.

— Enfin, si ce n'est pas lui... ce sera moi.

— C'est entendu.

Bettina s'en alla vers Jean, qui venait de s'asseoir près 10 de madame Scott.

— J'ai fait un gros mensonge, lui dit-elle.   M. de Lavardens est venu m'inviter, et je lui ai répondu que je vous avais promis cette valse... Oui, n'est-ce pas? vous voulez bien.   15

La tenir dans ses bras, respirer le parfum de ses cheveux!... Jean se sentait à bout de forces... Il n'osa pas accepter.

— Je suis désolé, mademoiselle.   Je ne peux pas... je suis souffrant ce soir.   J'ai tenu à venir,[1] pour ne pas 20 partir sans vous avoir fait mes adieux; mais danser, non, je ne pourrais pas.

Madame Norton venait d'attaquer le prélude de la valse.

— Eh bien, dit Paul arrivant tout joyeux, est-ce lui, mademoiselle? est-ce moi?   25

— C'est vous, dit-elle tristement, sans quitter Jean des yeux.

Elle était très troublée et répondit cela sans trop savoir ce qu'elle disait.   Elle regretta tout de suite d'avoir accepté.   Elle aurait voulu rester là, près de lui... Mais il 30 était trop tard.   Paul la prit par la main, et l'entraîna.

Jean s'était levé.   Il les regardait tous les deux, Bettina

et Paul.   Un nuage lui passa devant les yeux.   Il souffrait
cruellement.

— Je n'ai qu'une chose à faire, se dit-il, profiter de cette
valse et partir... Demain matin, j'écrirai quelques lignes
à madame Scott pour m'excuser.

Il gagna la porte... Il ne regardait plus Bettina... S'il
l'avait regardée, il serait resté.

Mais Bettina le regardait, et, tout d'un coup, elle dit à
Paul :

— Je vous remercie beaucoup, monsieur, mais je suis
un peu lasse... Arrêtons-nous, je vous prie... Vous me
pardonnez, n'est-ce pas?

Paul lui offrit le bras.

— Non, je vous remercie, dit-elle.

La porte venait de se refermer.   Jean n'était plus là.
Bettina traversa le salon en courant.   Paul resta seul, fort
étonné, ne comprenant rien à ce qui se passait.

Jean était déjà sur le perron, lorsqu'il s'entendit appeler :

— Monsieur Jean! monsieur Jean!

Il s'arrêta, se retourna.   Elle était près de lui.

-- Vous partez... sans me dire adieu!

— Je vous demande pardon, je suis très fatigué.

— Alors, ne vous en allez pas ainsi à pied.   Le temps
est menaçant.

Elle étendit la main au dehors.

— Tenez, il pleut déjà.

— Oh! à peine.

— Venez prendre une tasse de thé dans le petit salon,
seul avec moi, et je vous ferai reconduire en voiture.

Et, se retournant vers l'un des valets de pied:

— Dites que l'on attelle un coupé tout de suite.

— Non, mademoiselle, je vous en prie. Le grand air me remettra... j'ai besoin de marcher... Laissez-moi partir.

— Partez donc!... Mais vous n'avez pas de manteau... Prenez un châle pour vous envelopper.

— Je n'aurai pas froid... tandis que vous... avec cette robe ouverte... Je pars pour vous obliger à rentrer.

Sans même lui tendre la main, il se sauva et descendit rapidement les marches du perron.

— Si je touche sa main, se disait-il, je suis perdu, mon secret m'échappe.

Son secret! Il ne savait pas que Bettina lisait dans son cœur comme dans un livre grand ouvert.

Lorsque Jean fut arrivé au bas du perron, il eut un court moment d'hésitation. Cette phrase était sur ses lèvres:

— Je vous aime! je vous adore! Et c'est pour cela que je ne veux plus vous voir!

Mais, cette phrase, il ne la prononce pas, il s'éloigne, il se perd bientôt dans la nuit... Bettina reste là, sur le perron, dans l'encadrement lumineux de la porte. De grosses gouttes de pluie chassées par le vent viennent cingler ses épaules nues et la font frissonner; elle n'y prend garde; elle entend distinctement battre son cœur.

— Je savais bien qu'il m'aimait, se dit-elle; mais je suis bien sûre maintenant que moi aussi... oh! oui... moi aussi...

Tout d'un coup, dans l'une des grandes glaces de la porte, elle voit le reflet des deux valets de pied qui se tiennent debout, immobiles, près de la table de chêne du vestibule. Bettina fait quelques pas dans la direction du salon... Elle entend des éclats de rire et la valse qui continue. Elle s'arrête. Elle veut être seule, et, s'adressant à l'un des domestiques:

— Allez dire à madame que j'étais fatiguée, que je suis remontée chez moi.[1]

Annie, sa femme de chambre, sommeillait dans un fauteuil. Elle la renvoie... Elle se déshabillera elle-même. Elle se laisse tomber sur un divan. Elle éprouve un accablement délicieux.

La porte de sa chambre s'ouvre. C'est madame Scott.

— Vous êtes souffrante, Bettina?

— Ah! Suzie, c'est vous, ma Suzie! Comme vous avez eu raison de venir!... Asseyez-vous tout près de moi.

Elle se blottit comme un enfant dans les bras de sa sœur, caressant de sa tête brûlante les fraîches épaules de Suzie, puis, soudainement, éclate en sanglots, en gros sanglots qui l'étouffent, la suffoquent.

— Bettina, ma chérie, qu'est-ce que vous avez?

— Rien, rien... ce sont les nerfs... c'est la joie!

— La joie?

— Oui... oui... attendez... mais laissez-moi pleurer un peu. Cela me fait tant de bien!... N'ayez pas peur surtout... n'ayez pas peur.

Sous les baisers de sa sœur, Bettina se calme, s'apaise.

— C'est fini, c'est fini, et je vais vous dire... J'ai à vous parler de Jean.

— Jean! vous l'appelez Jean?

— Oui, je l'appelle Jean... N'avez-vous pas remarqué, depuis quelque temps, comme il était triste et comme il avait l'air malheureux?

— Oui, en effet.

— Il arrivait... il allait tout de suite s'installer près de vous et restait là, absorbé, silencieux, à tel point que, pendant plusieurs jours, je me suis demandé, — pardonnez-

moi de vous parler avec une telle franchise, c'est mon
habitude, vous savez, — je me suis demandé si ce n'était
pas vous qu'il aimait, ma Suzie. Vous êtes si charmante,
et cela aurait été si naturel! Mais non, ce n'était pas
vous, c'était moi!   5

— Vous?

— Oui, moi! Écoutez bien... C'est à peine s'il osait
me regarder. Il m'évitait, il me fuyait... Il avait peur
de moi, peur évidemment. Eh bien, là, en bonne justice,
suis-je à faire peur?¹ Non, n'est-ce pas?   10

— Assurément non.

— Ah! c'est que ce n'était pas de moi qu'il avait peur,
c'était de mon argent, de mon affreux argent! Cet argent
qui les attire tous, les autres, et les tente si fort, cet argent
l'effraye, lui, et le désespère... parce qu'il n'est pas comme 15
les autres, lui, parce que...

— Ma chérie, prenez garde, vous vous trompez peut-
être...

— Oh! non, non, je ne me trompe pas. Tout à l'heure,
sur le perron, il partait, il m'a dit quelques paroles. Ces 20
paroles n'étaient rien ... mais si vous aviez vu son trouble,
malgré tous ses efforts pour se contraindre! ... Suzie, ma
Suzie, par la tendresse que je vous porte, et Dieu sait
quelle est cette tendresse! voici ma conviction, mon absolue conviction: si, au lieu d'être miss Percival, j'avais 25
été une pauvre petite fille sans argent, tout à l'heure Jean
m'aurait pris la main et m'aurait dit qu'il m'aimait, et, s'il
m'avait ainsi parlé, savez-vous ce que je lui aurais répondu?

— Que vous l'aimez, vous aussi.   30

— Oui, et voilà pourquoi je suis si heureuse. C'est une
idée fixe chez moi d'adorer l'homme qui sera mon mari...

Eh bien, je ne dis pas que j'adore Jean, non, pas encore ...
mais enfin cela commence, Suzie ... et cela commence si
doucement !

— Bettina, je suis inquiète de vous voir dans cette
exaltation. Je veux bien que M. Reynaud ait pour vous
beaucoup d'affection ...

— Oh! plus que cela, plus que cela.

— Beaucoup d'amour, si vous voulez. Oui, vous avez
raison, vous avez bien vu ... Il vous aime ... et n'êtes
vous pas digne, ma chérie, de tout l'amour qu'on aura pour
vous?   Quant à Jean, — cela se gagne [1] décidément, voilà
que, moi aussi, je l'appelle Jean, — eh bien, vous savez
ce que je pense de lui. Bien souvent, toutes les deux, depuis un mois, nous avons eu occasion de nous dire ... Je
le place très haut, très haut ... Mais enfin, malgré cela,
est-ce bien le mari qui vous convient?

— Oui, si je l'aime.

— J'essaye de vous parler raison et vous me parlez toujours ... J'ai, Bettina, une expérience que vous ne pouvez
pas avoir ... Comprenez-moi bien ... Dès notre arrivée
à Paris, nous avons été lancées dans un monde très animé,
très brillant, très aristocratique ... vous pourriez être déjà,
si vous l'aviez voulu, marquise ou princesse ...

— Oui, mais je ne l'ai pas voulu.

— Vous sera-t-il tout à fait indifférent de vous appeler
madame Reynaud?

— Absolument, si je l'aime ...

— Ah! vous revenez toujours ...

— C'est que c'est la vraie question, il n'y en a pas d'autre
... et je veux être raisonnable à mon tour. Cette question, je vous accorde qu'elle n'est pas tout à fait résolue,
et que je me suis peut-être un peu trop vite monté la tête.[2]

Vous voyez comme je suis raisonnable.   Jean part demain.
Je ne le reverrai que dans vingt jours.   Je vais, pendant
ces vingt jours, avoir tout le temps de m'interroger, de me
consulter, de bien savoir, enfin, ce qui se passe en moi.
Sous mes airs évaporés, je suis sérieuse et réfléchie . . . Vous   5
le reconnaissez?

— Oui, je le reconnais.

— Eh bien, je vous adresse cette prière comme je
l'adresserais à notre mère, si elle était là.   Si dans vingt
jours, je vous dis: "Suzie, je suis certaine de l'aimer!" me   10
permettrez-vous d'aller à lui, moi-même, toute seule, et de
lui demander s'il me veut pour femme?   C'est ce que vous
avez fait avec Richard . . . Dites, Suzie, me le permettrez-vous?

— Oui, je vous le permettrai.   15

Bettina embrasse sa sœur et lui murmure ces deux
mots à l'oreille:

— Merci, maman!

— Maman! maman! c'est ainsi que vous m'appeliez,
quand vous étiez une enfant . . . quand nous étions seules   20
au monde, toutes les deux, quand je vous déshabillais le
soir, à New-York, dans notre pauvre chambre, quand je
vous tenais dans mes bras, quand je vous couchais dans
votre petit lit, quand je vous chantais des chansons pour
vous endormir.   Et, depuis lors, Bettina, je n'ai eu qu'un   25
désir au monde, votre bonheur.   C'est pour cela que je
vous demande de bien réfléchir.   Ne me répondez pas . . .
ne parlons plus de cela.   Je veux vous laisser bien calme,
bien tranquille.   Vous avez renvoyé Annie . . . Voulez-
vous que, ce soir encore, je sois votre petite maman, que   30
je vous couche comme autrefois?

— Oui, je le veux bien.

— Et, quand vous serez couchée, vous me promettez
d'être bien sage!

— Sage comme une image.[1]

— Vous ferez tout ce que vous pourrez pour vous endormir?

— Tout ce que je pourrai . . .

— Bien gentiment, sans penser à rien?

— Bien gentiment, sans penser à rien.

— A la bonne heure![2]

Dix minutes après, la jolie tête de Bettina reposait
doucement parmi les broderies et les dentelles. Suzie
disait à sa sœur:

— Je vais en bas retrouver tout ce monde qui m'ennuie
beaucoup ce soir. Avant de rentrer chez moi, je viendrai
voir si vous dormez. Ne parlez pas . . . Endormez-vous.

Elle sortit. Bettina resta seule. Elle fut honnête. Elle
fit, pour s'endormir, les efforts les plus sincères. Elle n'y
réussit qu'à moitié. Elle tomba dans un demi-sommeil,
dans un engourdissement qui la laissa flottante entre le
rêve et la réalité. Elle avait promis de ne penser à rien et
elle pensait à lui cependant, toujours à lui, rien qu'à lui,
mais vaguement, confusément. Combien de temps se
passa, elle n'aurait su le dire. Tout à coup, il lui sembla
qu'on marchait dans sa chambre; elle entr'ouvrit les yeux
et crut reconnaître sa sœur. D'une voix tout ensom-
meillée, elle lui dit:

— Vous savez? je l'aime.

— Chut . . . Dormez! dormez!

— Je dors . . . je dors.

Elle s'endormit pour tout de bon;[3] moins profondément cependant qu'à l'ordinaire, car, vers quatre heures du
matin, un bruit la réveilla en sursaut qui, la veille, n'aurait

aucunement troublé son sommeil. Une pluie tombait,
torrentielle, et venait battre contre les deux grandes
fenêtres de la chambre de Bettina.

— Oh! la pluie, se dit-elle; il va être mouillé!

Ce fut sa première pensée. Elle se lève, traverse la 5
chambre, pieds nus, entr'ouvre un volet. Le jour était
venu, gris, bas, lourd; le ciel était chargé d'eau; le vent
soufflait en tempête et faisait, par rafales, tourbillonner la
pluie.

Bettina ne se recouche pas. Elle sent qu'il lui serait 10
tout à fait impossible de se rendormir. Elle met un peignoir et reste là devant la fenêtre; elle regarde tomber la
pluie. Puisqu'il faut absolument qu'il s'en aille, elle aurait voulu qu'il s'en allât par un beau temps, sous un
grand soleil éclairant sa première étape. 15

En arrivant à Longueval, il y a un mois, Bettina ne
savait pas ce que c'était qu'une étape. Elle le sait aujourd'hui. Une étape d'artillerie est une course de trente
à quarante kilomètres, avec une heure de halte pour déjeuner. C'est l'abbé Constantin qui lui a appris cela; 20
pendant leurs tournées du matin chez les pauvres, Bettina accable le curé de questions sur les choses militaires
et tout particulièrement sur le service de l'artillerie.

Huit ou dix lieues sous cette pluie battante! Pauvre
Jean! Bettina pense au petit Turner, au petit Norton, à 25
Paul de Lavardens, qui vont dormir bien tranquillement
jusqu'à dix heures du matin, pendant que Jean recevra
ce déluge.

Paul de Lavardens! Ce nom réveille en son esprit un
souvenir qui lui est douloureux, le souvenir de ce tour de 30
valse, la veille ... Avoir ainsi dansé, lorsque le chagrin
de Jean était manifeste! Ce tour de valse prend aux yeux

de Bettina les proportions d'un crime: c'est horrible, ce qu'elle a fait!

Et ensuite n'a-t-elle pas manqué de courage et de franchise dans ce dernier entretien avec Jean? Lui ne pouvait, n'osait rien dire; mais elle aurait dû montrer plus de tendresse, plus d'abandon. Triste et souffrant comme il était, jamais elle n'aurait dû lui permettre de s'en aller à pied. Il fallait le retenir, le retenir à tout prix. L'imagination de Bettina travaille et s'exalte. Jean a dû emporter cette impression qu'elle était une mauvaise petite créature, sans cœur et sans pitié.

Et dans une demi-heure il va partir, partir pour vingt jours ... Ah! si elle pouvait, par un moyen quelconque! ... Mais ce moyen, il existe ... Le régiment va défiler le long du mur du parc, sous la terrasse. Voilà Bettina prise d'une envie folle d'aller voir passer Jean. Il comprendra bien, en l'apercevant, là, à une pareille heure, qu'elle vient lui demander pardon de ses cruautés de la veille. Oui, elle ira! ... Mais elle a promis à Suzie d'être sage comme une image, et faire ce qu'elle va faire, est-ce bien être sage comme une image? Elle en sera quitte pour tout avouer à Suzie, en rentrant, et Suzie pardonnera.

Elle ira! elle ira! Seulement comment s'habiller? Elle n'a sous la main qu'une robe de bal, un peignoir de mousseline, de petites mules à talons et des souliers de bal en satin bleu. Réveiller sa femme de chambre, jamais elle n'oserait ... et puis le temps presse ... cinq heures moins un quart! Le régiment part à cinq heures.

Elle peut se tirer d'affaire avec le peignoir de mousseline et les souliers de satin; elle trouvera dans le vestibule un chapeau, ses petits sabots de jardin et le grand manteau écossais qu'elle met, pour conduire, les jours de pluie.

BETTINA A PERDU UN DE SES PETITS SABOTS . . .

Elle entr'ouvre sa porte avec des précautions infinies; tout
dort dans le château, elle se glisse le long des murs, dans
les couloirs; elle descend l'escalier.

Pourvu que les petits sabots soient bien là, à leur place!
C'est sa grande préoccupation. Les voici. Elle les at-   5
tache par-dessus les souliers de bal, elle s'enveloppe dans
le grand manteau. Elle entend que la pluie, au dehors,
redouble de violence. Elle aperçoit un de ces immenses
parapluies d'antichambre [1] dont se servent les valets de
pied quand ils montent sur le siège; elle s'en empare, elle   10
est prête . . . mais, quand elle veut sortir, elle s'aperçoit
que la porte-fenêtre du vestibule est fermée par une grosse
barre de fer. Elle tâche de l'enlever; mais la barre de fer
tient bon, résiste, et le grand cartel du vestibule fait entendre lentement cinq coups. Il part en ce moment!   15

Elle veut le voir! elle veut le voir! Sa volonté s'irrite
avec les obstacles. Elle fait un grand effort. La barre
cède, glisse dans les rainures... Mais Bettina s'est fait à
la main une longue estafilade qui laisse voir un mince filet
de sang. Bettina tamponne son mouchoir autour de sa   20
main; elle prend son grand parapluie, elle tourne la clef
dans la serrure, elle ouvre la porte. Enfin! la voilà dehors!

Le temps est épouvantable. Le vent et la pluie font
rage.[2] Il faut cinq ou six minutes pour gagner cette terrasse, qui a vue sur la route. Bettina se lance en avant,   25
courageusement, tête baissée, enfouie sous son immense
parapluie. Elle a déjà fait une cinquantaine de pas.
Tout à coup, furieuse, folle, aveuglante, une bourrasque se
jette sur Bettina, s'engouffre dans son manteau, l'entraîne,
la soulève, lui fait presque quitter terre,[3] retourne violem- 30
ment le parapluie. Ce n'est rien encore. Le désastre est
complet. Bettina a perdu un de ses petits sabots . . . Ce

n'étaient pas des sabots sérieux, c'étaient de mignons
petits sabots pour le beau temps.

Et, en ce moment, lorsque Bettina, désespérée, lutte
contre la tempête, avec son soulier de satin bleu qui plonge
5 dans le sable mouillé, en ce moment, le vent lui apporte
l'écho lointain d'une sonnerie de trompettes. C'est le
régiment qui part! Bettina prend une grande résolution:
elle abandonne le parapluie, rattrape son petit sabot, le
rattache tant bien que mal,[1] et part en courant avec un
10 déluge sur la tête.

Enfin, elle est sous bois; les arbres ia protègent un peu.
Encore une sonnerie, plus rapprochée cette fois. Bettina
croit entendre le roulement des voitures. Elle fait un dernier effort. Voici la terrasse ... Elle est arrivée ... Il
15 était temps! Elle aperçoit, à vingt mètres, les chevaux
blancs des trompettes,[2] et, sur la route, elle voit onduler
vaguement, dans le brouillard, la longue file des canons et
des caissons. Elle s'abrite sous un des vieux tilleuls
qui bordent la terrasse. Elle regarde, elle attend. Il est
20 là, parmi cette masse confuse de cavaliers. Pourra-t-elle
le reconnaître? Et lui, la verra-t-il? Quelque hasard
lui fera-t-il tourner la tête de ce côté?

Bettina sait qu'il est lieutenant à la deuxième batterie de
son régiment; elle sait qu'une batterie se compose de six
25 canons et de six caissons. C'est encore l'abbé Constantin
qui lui a appris cela. Il faut donc laisser passer la première batterie, c'est-à-dire compter six canons, six caissons,
et ensuite ce sera lui...

C'est lui, en effet, enveloppé dans son grand manteau, et
30 c'est lui qui, le premier, la voit, la reconnaît. Quelques
instants auparavant, il s'était rappelé une longue promenade qu'il avait faite avec elle, un soir, à la nuit tombante,

sur cette terrasse.   Il avait levé les yeux, et, à cette place
même où il se souvenait de l'avoir vue, c'était elle qu'il
avait retrouvée.

Il la salue, et, tête nue, sous la pluie, se tournant sur son
cheval à mesure qu'il s'éloigne, tant qu'il peut l'apercevoir,   5
il la regarde.   Il se redisait ce qu'il s'était déjà dit la veille:

— C'est la dernière fois!

Elle, avec un geste des deux mains, lui envoyait ses
adieux, et ce geste, plusieurs fois répété, amenait ses mains
si près, si près de ses lèvres, qu'on aurait pu croire…   10

— Ah! se disait-elle, si, après cela, il ne comprend pas
que je l'aime et s'il ne me pardonne pas mon argent!…

IX

C'est le 10 août, le jour qui doit ramener Jean à Longueval.

Bettina se réveille de très bonne heure, se lève, court   15
tout de suite à la fenêtre.   Un grand soleil perce et déjà
dissipe les vapeurs du matin.   Le ciel, la veille au soir,
était menaçant, chargé de nuages; Bettina a peu dormi,
et, toute la nuit, elle se disait:

— Pourvu qu'il ne pleuve pas demain matin!   20

Il va faire un temps admirable.   Bettina est un peu
superstitieuse.   Cela lui donne bon espoir et bon courage.
La journée commence bien, elle finira bien.

M. Scott est revenu depuis quelques jours.   Bettina l'attendait sur le quai au Havre, à l'arrivée du paquebot, avec   25
Suzie et les enfants.

On s'est embrassé tendrement à plusieurs reprises.   Puis
Richard, s'adressant à sa belle-sœur:

— Eh bien, dit-il en riant, à quand le mariage?

— Quel mariage?

— Avec M. Jean Reynaud.

— Ah! ma sœur vous a écrit?

— Suzie? Aucunement ... Suzie ne m'a pas dit un
5 mot ... C'est vous, Bettina, qui m'avez écrit. Dans
toutes vos lettres, depuis deux mois, il n'est question que
de ce jeune officier.

— Dans toutes mes lettres?

— Oui, oui ... et vous m'écriviez plus souvent et plus
10 longuement qu'à l'ordinaire. Je ne m'en plains pas; mais,
enfin, je vous demande quand vous me présenterez mon
beau-frère.

Il plaisante en parlant ainsi, mais Bettina lui répond:

— Bientôt, j'espère.

15 M. Scott apprend que l'affaire est sérieuse. Au retour,
en wagon,[1] Bettina a redemandé ses lettres à Richard. Elle
les relit. C'est de lui, en effet, qu'à chaque page il est question dans ces lettres! Elle retrouve là, racontée dans ses
moindres détails, la première rencontre. Voici le portrait
20 de Jean dans le jardin du presbytère, avec son chapeau de
paille et son saladier de faïence ... et puis encore monsieur
Jean, toujours monsieur Jean! Elle découvre qu'elle l'aime
depuis beaucoup plus longtemps qu'elle ne le pensait.

Donc c'est le 10 août. Le déjeuner vient de finir au
25 château. Harry et Bella sont impatients. Ils savent que
le régiment doit, entre une heure et deux, traverser le village. On leur a promis de les mener voir passer les soldats,
et, pour eux aussi bien que pour Bettina, le retour du 9ᵉ
d'artillerie est un grand événement.

30 — Tante Betty, dit Bella, tante Betty, viens avec nous.

— Oui, viens, dit Harry, viens; nous verrons notre ami
Jean sur son grand cheval gris.

Bettina résiste, refuse, et cependant quelle tentation! Mais non, elle n'ira pas, elle ne reverra Jean que le soir, pour cette explication décisive, à laquelle, depuis vingt jours, elle se prépare.

Les enfants partent avec leurs gouvernantes. Bettina, 5 Suzie et Richard vont s'asseoir dans le parc, tout près du château, et, dès qu'ils sont installés:

— Suzie, dit Bettina, je vais aujourd'hui vous rappeler votre promesse. Vous vous souvenez de ce qui s'est passé entre nous, le soir de son départ. Il a été convenu que si, 10 le jour de son retour, je vous disais: "Suzie, je suis sûre de l'aimer!" il a été convenu que vous me permettriez de m'adresser à lui franchement et de lui demander s'il voulait de moi pour femme.

— Oui, je vous l'ai promis. Mais êtes-vous bien sûre?... 15

— Absolument sûre. Je vous préviens donc que j'ai l'intention de l'amener ... tenez, ici même,[1] ajouta-t-elle en riant, sur ce banc ... et de lui tenir à peu près le langage que vous avez tenu autrefois à Richard ... Cela vous a réussi, Suzie ... vous êtes parfaitement heureuse. Et 20 moi aussi, je veux l'être! Richard, Suzie vous a parlé de M. Reynaud.

— Oui, et elle m'a dit que d'aucun homme elle ne pensait plus de bien; mais ...

— Mais elle vous a dit aussi que c'était peut-être pour 25 moi un mariage un peu tranquille, un peu bourgeois[2]... Oh! méchante sœur! Croiriez-vous, Richard, que je ne puis lui ôter cette crainte de la tête. Elle ne comprend pas que je veux, avant tout, aimer et être aimée. Croiriez-vous, Richard, qu'elle m'a tendu, la semaine dernière, 30 un piège horrible! Vous savez, il y a, de par le monde,[3] un prince Romanelli?

— Oui, vous auriez pu être princesse.

— Cela n'aurait pas rencontré, je crois, d'immenses
difficultés ... Eh bien, un jour, j'avais eu l'imprudence
de dire à Suzie que le prince Romanelli, à la rigueur, me
5 paraissait acceptable. Imaginez-vous ce qu'elle a fait?
Les Turner étaient à Trouville.[1] Suzie a tramé un petit
complot ... On m'a fait déjeuner avec le prince ... mais
le résultat a été désastreux ... Acceptable! ... Les deux
heures que j'ai passées avec lui, je les ai passées à me de-
10 mander comment j'avais jamais pu dire une telle parole
... Non, Richard, non, Suzie, je ne veux être ni princesse,
ni comtesse, ni marquise. Je veux être madame Jean
Reynaud ... si M. Jean Reynaud le veut bien ... et cela
n'est pas certain.

15 Le régiment entrait dans le village, et brusquement une
fanfare éclata, martiale et joyeuse, à travers l'espace.
Tous les trois restèrent silencieux. C'était le régiment,
c'était Jean qui passait ... La sonorité diminua, s'éteignit,
et Bettina reprenant:

20 — Non, cela n'est pas certain. Il m'aime cependant, et
beaucoup, mais sans trop savoir ce que je suis. Je pense
que je mérite d'être aimée autrement, je pense que je ne
lui causerais pas une semblable frayeur s'il me connaissait
mieux, et c'est pour cela que je vous demande la permission
25 de lui parler ce soir, librement, à cœur ouvert.

— Nous vous l'accordons, répondit Richard, nous vous
l'accordons tous les deux ... Nous savons que vous ne
ferez jamais rien, Bettina, que de noble et de généreux.

— J'essayerai, tout au moins.

30 Les enfants reviennent en courant. Ils ont vu Jean; il
était tout blanc de poussière; il leur a dit bonjour.

— Seulement, ajouta Bella, il a pas [2] été gentil, il s'est pas arrêté pour nous parler ... il s'arrête ordinairement, et, ce matin, il a pas voulu.

— Si, il a voulu, répond Harry, car il a fait d'abord un mouvement comme ça ... et puis il a plus voulu, il est reparti.   5

— Enfin, il s'est pas arrêté, et c'est si amusant de causer avec un militaire, surtout quand il est à cheval!

— C'est pas ça seulement, c'est que nous l'aimons bien, M. Jean. Si tu savais, papa, comme il est bon, comme il sait bien jouer avec nous!   10

— Et comme il fait des beaux dessins! ... Harry, tu te rappelles pas, ce grand polichinelle qui était si drôle avec son bâton? ...

— Et le chat, y avait[1] aussi le chat, comme à Guignol.

Les deux enfants s'éloignent en parlant de leur ami Jean. 15

— Décidément, dit M. Scott, tout le monde l'aime dans la maison.

— Et vous ferez comme tout le monde, quand vous le connaîtrez, répond Bettina.

Le régiment a pris le trot sur la grande route, au sortir 20 du village ... Voici la terrasse où Bettina se trouvait l'autre matin ... Jean se dit: "Si elle était là!" Il le redoute et l'espère en même temps ... Il lève la tête, il regarde ... Elle n'y est pas!

Il ne l'a pas revue! Il ne la reverra pas ... de long- 25 temps, au moins. Il va partir, le soir même, à six heures, pour Paris. Un des directeurs du ministère de la guerre s'intéresse à lui. Il va tâcher de se faire envoyer dans un autre régiment.

Jean a beaucoup réfléchi là-bas, seul, à Cercottes, et 30 voici quel a été le résultat de ses réflexions: il ne peut pas, il ne doit pas être le mari de Bettina!

Les hommes mettent pied à terre dans la cour du quartier. Jean prend congé de son colonel et de ses camarades.
Tout est fini. Il est libre, il pourrait partir ... Il ne part
pas cependant. Il regarde autour de lui ... Comme il
5 était heureux, trois mois auparavant, lorsqu'il sortait de
cette grande cour, à cheval, dans le fracas des canons
roulant sur le pavé de Souvigny! Comme il va en sortir
tristement aujourd'hui! Sa vie autrefois était là ... où
sera-t-elle maintenant?

10   Il rentre, il monte chez lui. Il écrit à madame Scott; il
lui dit que, pour affaires de service, il est obligé de partir à
l'instant même; il ne pourra pas dîner au château; il prie
madame Scott de le rappeler au souvenir de [1] mademoiselle
Bettina ... Bettina! ... Ah! qu'il a eu de peine à écrire ce
15 nom! ... Il ferme sa lettre ... Il l'enverra tout à l'heure.

Il fait ses préparatifs de départ. Ensuite il ira dire
adieu à son parrain. C'est là ce qui lui coûte le plus ...
Il ne lui parlera que d'une absence de peu de durée.

Il ouvre un des tiroirs de son bureau pour y prendre de
20 l'argent. La première chose qui frappe ses yeux est une
petite lettre sur papier bleuté. C'est le seul billet qu'il
ait reçu d'elle:

"Voulez-vous avoir la bonté de remettre au porteur le
livre dont vous m'avez parlé hier soir? Il sera peut-être
25 un peu sérieux pour moi ... Je voudrais cependant essayer
de le lire ... A tout à l'heure.[2] Venez le plus tôt possible."

C'est signé: *Bettina*. Jean lit et relit ces quelques
lignes ... Mais bientôt il ne peut plus lire ... Ses
30 yeux sont troubles.

— C'est tout ce qui me restera d'elle! se dit-il.

Au même moment, l'abbé Constantin est en tête à tête

avec Pauline. Ils font leurs comptes. La situation finan-
cière est admirable. Plus de deux mille francs en caisse!
Et les vœux de Suzie et de Bettina sont comblés : il n'y a
plus de pauvres dans le pays. La vieille Pauline a même,
par instants, de légers scrupules de conscience. 5

— Voyez-vous, monsieur le curé, dit-elle, nous donnons
peut-être un peu trop. Ça commence à se répandre dans
les autres communes qu'on fait ici la charité à bureau
ouvert.[1] Et savez-vous ce qui arrivera un de ces jours?
On viendra s'établir pauvre[2] à Longueval. 10

Le curé donne cinquante francs à Pauline; elle sort pour
aller les porter à un pauvre homme qui s'est cassé le bras,
en tombant du haut d'une charrette de foin.

L'abbé Constantin reste seul au presbytère. Il est sou-
cieux. Il a guetté le régiment au passage; mais Jean ne 15
s'est arrêté qu'un instant; il avait l'air triste. Depuis
quelque temps déjà, l'abbé s'en est bien aperçu, Jean n'a
plus sa bonne humeur et sa gaieté d'autrefois. Le curé ne
s'en était pas trop inquiété, croyant à un de ces petits chagrins de jeunesse qui ne regardaient pas un pauvre vieux 20
bonhomme de prêtre. Mais la préoccupation de Jean
était, ce jour-là, très marquée.

— Je viendrai tout à l'heure, mon parrain, avait-il dit
au curé; j'ai besoin de vous parler.

Il était parti brusquement. L'abbé Constantin n'avait 25
pas eu le temps de donner à Loulou son morceau de sucre,
ou plutôt ses morceaux de sucre; car il en avait mis cinq
ou six dans sa poche, considérant que Loulou avait bien
mérité ce régal par dix grands jours d'étapes et par une
vingtaine de nuits passées à la belle étoile. D'ailleurs, 30
depuis l'installation de madame Scott au château, Loulou
avait très souvent plusieurs morceaux de sucre. L'abbé

Constantin devenait dépensier, prodigue; il se sentait millionnaire; le sucre du cheval de Jean était une de ses folies. Un jour même, il avait été sur le point d'adresser à Loulou son éternel petit discours:

— Cela vient des nouvelles châtelaines de Longueval. Priez pour elles ce soir.

Il était trois heures lorsque Jean arriva au presbytère, et le curé tout aussitôt:

— Tu m'as dit que tu avais besoin de me parler ... De quoi s'agit-il?

— D'une chose, mon parrain, qui va vous surprendre, vous chagriner, et qui me chagrine aussi. Je viens vous faire mes adieux.

— Tes adieux! tu pars?

— Oui, je pars.

— Quand cela?

— Aujourd'hui même ... dans deux heures.

— Dans deux heures! mais nous devions dîner ce soir au château.

— Je viens d'écrire à madame Scott pour m'excuser ... Je suis absolument forcé de partir.

— Tout de suite?

— Tout de suite.

— Et tu vas?

— A Paris.

— A Paris! Pourquoi cette détermination soudaine?

— Pas si soudaine. Il y a longtemps que je songe à ce départ.

— Et tu ne m'en avais rien dit! ... Jean, il se passe quelque chose ... Tu es un homme et je n'ai plus le droit de te traiter en enfant; mais, enfin, tu sais combien je t'aime ... Si tu as des tourments, des ennuis, pourquoi

ne pas me les dire? Je pourrais peut-être te donner un
bon conseil. Jean, pourquoi vas-tu à Paris?

— J'aurais voulu ne pas vous le dire ... Cela va vous
faire de la peine ... mais vous avez le droit de savoir ...
Je vais à Paris pour demander à être envoyé dans un 5
autre régiment.

— Dans un autre régiment? ... quitter Souvigny?

— Oui, précisément, quitter Souvigny ... pour quelque
temps, pour peu de temps; mais enfin quitter Souvigny,
c'est cela que je veux, c'est cela qui est nécessaire. 10

— Et moi, Jean, tu ne penses donc pas à moi? ... Pour
peu de temps! ... Peu de temps! mais c'est ce qui me
reste à vivre, peu de temps. Et, pendant ces derniers
jours que je dois à la grâce de Dieu, c'était mon bonheur,
Jean, oui, c'était mon bonheur de te sentir là, près de moi. 15
Et tu t'en irais! Jean, attends un peu, patiente, ça ne
sera pas bien long; attends que le bon Dieu m'ait rappelé
à lui, attends que je sois allé retrouver là, à côté,[1] et ton
père, et ta mère... Ne t'en va pas, Jean, ne t'en va pas.

— Si vous m'aimez, moi aussi je vous aime ... et vous 20
le savez bien ...

— Oui, je le sais.

— J'ai pour vous cette même tendresse que j'avais
quand j'étais tout petit, quand vous m'avez recueilli,
quand vous m'avez élevé. Mon cœur n'a pas changé, 25
ne changera jamais ... Mais si le devoir, si l'honneur
m'obligent à partir ...

— Ah! si c'est le devoir, si c'est l'honneur ... Je ne dis
plus rien, Jean ... Tout passe après cela, tout, tout! Je
t'ai toujours connu bon juge de ton devoir, bon juge de 30
ton honneur ... Pars, mon enfant, pars. Je ne te demande rien. Je ne veux rien savoir.

— Eh bien, moi, je veux tout vous dire, s'écria Jean, vaincu par son émotion. Aussi bien[1] vaut-il mieux que vous sachiez tout. Vous restez ici, vous, vous retournerez au château ... vous la reverrez ... elle!

5 — Qui ... elle?

— Bettina!

— Bettina?

— Je l'adore, mon parrain, je l'adore!

— O mon pauvre enfant!

10 — Pardonnez-moi de vous parler de ces choses ... mais je vous les dis comme je les dirais à mon père. Et puis ... je n'ai jamais pu en parler à personne, et cela m'étouffait ... Oui, c'est une folie, qui, peu à peu, s'est emparée de moi, malgré moi, car vous comprenez bien ... Mon Dieu!

15 c'est ici même que j'ai commencé à l'aimer. Vous savez, quand elle est venue avec sa sœur ... les petits rouleaux de mille francs ... ses cheveux qui se sont défaits ... et le soir, le mois de Marie? ... Puis il m'a été permis de la voir librement, familièrement ... et, vous-même, sans

20 cesse, vous me parliez d'elle, vous me vantiez sa douceur, sa bonté. Que de fois vous m'avez dit qu'il n'y avait rien de meilleur au monde!

— Et je le pensais ... et je le pense encore ... et personne ici ne la connaît mieux que moi, car je suis le seul à

25 l'avoir vue chez les pauvres. Si tu savais, dans nos tournées, le matin, elle est si tendre et si brave! Ni la misère ni la souffrance ne la rebutent ... Mais j'ai tort de te dire tout cela ...

— Non, non, je ne veux plus la revoir, mais je veux bien

30 entendre parler d'elle.

— Tu ne rencontreras pas dans la vie, Jean, de femme meilleure et qui ait des sentiments plus élevés. A tel point, qu'un jour, — elle m'avait emmené dans une voiture découverte qui était pleine de joujoux, — elle portait ces joujoux à une petite fille malade, et, en les lui donnant, pour la faire rire, cette petite, pour l'amuser, elle lui parlait si gentiment, que je pensais à toi et que je me disais, je m'en souviens maintenant: "Ah! si elle était pauvre!"

— Oui, si elle était pauvre! mais elle ne l'est pas!

— Oh! non ... Enfin que veux-tu, mon pauvre enfant! si ça te fait du mal de la voir, de vivre près d'elle, comme il faut, avant tout, que tu ne souffres pas ... va-t'en, c'est cela, va-t'en ... Et cependant ... et cependant ...

Le vieux prêtre devint songeur, laissa tomber sa tête dans ses mains, et resta, pendant quelques instants, silencieux; puis il continua:

— Et cependant, Jean, sais-tu à quoi je pense? Je l'ai beaucoup vue, mademoiselle Bettina, depuis son arrivée à Longueval. Eh bien, je réfléchis, — cela ne m'étonnait pas alors, cela me semblait si naturel, que l'on s'intéressât à toi, — mais enfin, elle parlait de toi, toujours, oui, toujours.

— De moi?

— Oui, et de ton père, et de ta mère. Elle était curieuse de savoir comment tu vivais, elle me demandait de lui expliquer ce que c'était que l'existence d'un soldat, d'un vrai soldat aimant son métier et le faisant en conscience. C'est extraordinaire, depuis que tu m'as dit cela, il se fait dans ma tête tout un travail de souvenirs. Mille petites choses se groupent, se rapprochent ... Ainsi, elle est revenue du Havre avant-hier à trois heures. Eh bien, une heure après son arrivée, elle était ici. Et c'est de toi, tout de suite, qu'elle m'a parlé. Elle m'a demandé si tu

m'avais écrit, si tu n'avais pas été malade, quand tu arri-
verais, à quelle heure, si le régiment passerait par le
village.

— Il est inutile, mon parrain, de rechercher tous ces
5 souvenirs.

— Non, cela n'est pas inutile ... Elle paraissait si contente, si heureuse même, de penser qu'elle allait te revoir!
Ce dîner de ce soir, elle s'en faisait une fête [1] ... Elle devait te présenter à son beau-frère, qui est arrivé. Il n'y
10 a personne en ce moment au château, pas un seul invité.
Elle insistait beaucoup sur ce point, — et je me rappelle
sa dernière phrase, — elle était là sur le seuil de la porte:
"Nous ne serons que cinq, m'a-t-elle dit, vous et M. Jean,
ma sœur, mon beau-frère et moi." Et elle a ajouté, en
15 riant: "Un vrai dîner de famille." C'est sur ce mot
qu'elle est partie, qu'elle s'est sauvée presque. Un vrai
dîner de famille? Sais-tu ce que je crois, Jean, le
sais-tu?

— Il ne faut pas croire cela, mon parrain, il ne faut
20 pas ...

— Jean, je crois qu'elle t'aime!

— Et moi aussi, je le crois!

— Toi aussi?

— Quand je l'ai quittée, il y a vingt jours, elle était si
25 agitée, si émue! Elle me voyait triste et malheureux.
Elle ne voulait pas me laisser partir. C'était sur le perron
du château. J'ai dû m'enfuir ... oui ... m'enfuir. J'allais parler, éclater, tout lui dire. Après avoir fait une
cinquantaine de pas, je me suis arrêté, je me suis retourné.
30 Elle ne pouvait plus me voir. J'étais en pleine nuit.[2]
Mais je la voyais, moi. Elle était restée, là, immobile, les
épaules et les bras nus, sous la pluie, regardant du côté par

où j'étais parti.   Peut-être suis-je fou de penser que ...
Peut-être n'était-ce qu'un sentiment de pitié.   Mais non,
c'était autre chose que de la pitié, car savez-vous ce
qu'elle a fait, le lendemain matin?   Elle est venue, à cinq
heures, par un temps effroyable, me voir passer sur la route   5
avec le régiment, et, là, sa façon de me dire adieu ...
Ah! mon parrain! mon parrain! ...

— Mais alors, dit le pauvre curé, complètement boule-
versé, complètement désorienté,[1] mais alors je ne comprends plus du tout.   Si tu l'aimes, Jean, et si elle   10
t'aime!

— Mais c'est à cause de cela surtout qu'il faut que je
parte.   S'il n'y avait que moi! si j'étais certain qu'elle ne
s'est pas aperçue de mon amour, certain qu'elle n'en a pas
été attendrie! je resterais ... je resterais ... rien que pour   15
la douceur de la voir, et je l'aimerais de loin, sans espérance
aucune, rien que pour le bonheur de l'aimer ...   Mais non,
elle a bien compris ... et loin de me décourager ... enfin
... voilà ce qui m'oblige à partir ...

— Non, je ne comprends plus.   Je sais bien, mon pauvre   20
enfant, que nous parlons là de choses où je ne suis pas
grand clerc ... mais, enfin, vous êtes tous les deux bons,
jeunes et charmants ...   Tu l'aimes ... elle t'aimerait ...
et tu ne pourrais pas! ...

— Et son argent, mon parrain, et son argent!   25

— Qu'importe son argent! ce n'est rien que son argent!
Est-ce que c'est à cause de son argent que tu l'as aimée?...
C'est plutôt malgré son argent.   Ta conscience, mon Jean,
sera bien en paix à cet égard, et cela suffit.

— Non, cela ne suffit pas.   Avoir bonne opinion de soi-   30
même, ce n'est pas assez; il faut encore que cette bonne
opinion soit partagée par les autres.

— Oh! Jean, parmi ceux qui te connaissent, qui pourrait douter de toi?

— Qui sait? . . . Et puis il y a autre chose que cette question d'argent, autre chose de plus sérieux et de plus grave. Je ne suis pas le mari qui lui convient.

— Et quel autre plus digne que toi? . . .

— Il ne s'agit pas de rechercher ce que je puis valoir, il s'agit de considérer ce qu'elle est et de considérer ce que je suis; il s'agit de se demander ce que doit être sa vie et ce que doit être ma vie, à moi . . . Un jour, Paul, — vous savez, il a une façon un peu brutale de dire les choses . . . mais cela donne souvent à la pensée beaucoup de clarté, — il était question d'elle . . . Paul ne se doutait de rien . . . sans cela . . . il est bon . . . et n'aurait pas ainsi parlé. Eh bien, il me disait: "Ce qu'il lui faut, c'est un mari qui soit bien à elle, tout à elle, un mari qui n'ait d'autre souci que de faire de son existence une fête perpétuelle, un mari enfin qui lui en donne pour son argent." Vous me connaissez . . . Un tel mari, je ne peux pas, je ne dois pas l'être. Je suis soldat et veux rester soldat. Si les hasards de ma carrière m'envoient un jour en garnison dans quelque trou des Alpes ou dans un village perdu de l'Algérie, puis-je lui demander de me suivre? puis-je la condamner à cette existence de femme de soldat, qui est, en somme, un peu l'existence du soldat! Pensez à la vie qu'elle mène aujourd'hui, à tout ce luxe, à tous ces plaisirs? . . .

— Oui, dit l'abbé, cela est plus sérieux que la question d'argent.

— Tellement sérieux, qu'il n'y a pas d'hésitation possible. Pendant ces vingt jours que j'ai passés là-bas, seul, au camp, j'ai bien pensé à tout cela . . . je n'ai pensé qu'à cela . . . et, l'aimant comme je l'aime, il faut que les raisons

soient bien fortes qui me montrent clairement mon devoir.
Je dois m'en aller ... loin, bien loin, le plus loin possible.
J'en souffrirai beaucoup ... mais je ne dois plus la revoir!
je ne dois plus la revoir!

Jean se laissa tomber sur un fauteuil, près de la cheminée;
il resta là, accablé. Le vieux prêtre le regardait.

— Te voir malheureux! mon pauvre enfant! qu'une
telle douleur tombe sur toi! ... Cela est trop cruel, trop
injuste! ...

A ce moment, on frappa légèrement à la porte.

— Ah! dit le curé, n'aie pas peur, Jean ... je vais renvoyer ...

L'abbé se dirigea vers la porte, l'ouvrit et recula comme
devant une apparition inattendue.

C'était Bettina. Tout de suite, elle avait vu Jean, et,
allant droit à lui:

— Vous? ... s'écria-t-elle. Oh! que je suis contente!

Il s'était levé ... elle lui avait pris les deux mains, et,
s'adressant à l'abbé:

— Je vous demande pardon, monsieur le curé, si c'est à
lui d'abord que je suis allée ... Vous, je vous ai vu hier ...
et lui, pas depuis vingt grands jours, pas depuis certain
soir où il est parti de la maison triste et souffrant.

Elle tenait toujours les mains de Jean. Il ne se sentait
la force ni de faire un mouvement, ni de prononcer une
parole.

— Et maintenant, continua Bettina, allez-vous mieux?
Non, pas encore ... je le vois ... encore triste ... Ah!
comme j'ai bien fait de venir! J'ai eu là une inspiration.
Cependant, cela me gêne un peu, cela me gêne beaucoup
de vous trouver ici. Vous comprendrez pourquoi lorsque
vous saurez ce que je viens demander à votre parrain.

Elle abandonna les mains de Jean, et, se tournant vers l'abbé:

— Je viens, monsieur le curé, vous prier de vouloir bien entendre ma confession ... Oui, ma confession ... Mais 5 ne vous avisez pas de vous en aller, monsieur Jean. Je ferai ma confession publiquement. Je parlerai très volontiers devant vous ... et même, en y songeant, cela sera bien mieux ainsi. Asseyons-nous ... voulez-vous?

Elle se sentait pleine de confiance et de hardiesse. Elle 10 avait la fièvre, mais cette fièvre qui, sur le champ de bataille, donne au soldat de l'ardeur, de l'héroïsme et le mépris du danger. L'émotion qui faisait battre le cœur de Bettina plus vite qu'à l'ordinaire était une émotion haute et généreuse. Elle se disait:

15 — Je veux être aimée! je veux aimer! je veux être heureuse! je veux qu'il soit heureux! Et, puisque lui ne peut pas avoir le courage, c'est à moi d'en avoir pour nous deux, c'est à moi de marcher seule, la tête haute et d'un cœur tranquille, à la conquête de notre amour, à la con- 20 quête de notre bonheur!

Bettina, dès les premiers mots, avait pris sur l'abbé et sur Jean un complet ascendant. Ils la laissaient dire, ils se laissaient faire.[1] Ils sentaient bien que l'heure était suprême, ils comprenaient que ce qui allait se passer là 25 serait décisif, irrévocable; mais ils n'étaient ni l'un ni l'autre en état de prévoir ... Ils s'étaient assis docilement, presque automatiquement. Ils attendaient, ils écoutaient ... Entre ces deux hommes éperdus, Bettina, seule, était de sang-froid ... Ce fut d'une voix nette et précise qu'elle 30 commença:

— Je vous dirai, d'abord, monsieur le curé, et cela pour mettre votre conscience pleinement en repos, je vous dirai

que je suis ici avec le consentement de ma sœur et de mon
beau-frère. Ils savent pourquoi je suis venue, ils savent ce
que je vais faire. Ils ne le savent pas seulement, ils l'ap-
prouvent. C'est entendu, n'est-ce pas? Eh bien, ce qui
m'amène, c'est votre lettre, monsieur Jean, cette lettre par
laquelle vous avez appris à ma sœur que vous ne pouviez
pas, ce soir, venir dîner avec nous et que vous étiez absolument obligé de partir. Cette lettre a dérangé tous mes
projets ... En effet, ce soir, — toujours avec la permission
de ma sœur et de mon beau-frère, — je voulais, après le
dîner, vous emmener dans le parc, monsieur Jean, m'asseoir
avec vous sur un banc, — j'avais eu l'enfantillage de choisir
la place d'avance, tout à l'heure; — là, je vous aurais tenu
un petit discours, très préparé, très étudié, presque appris
par cœur; car, depuis votre départ, je ne pense qu'à ce
petit discours. Je me le récite à moi-même du matin au
soir. Voilà donc ce que je me proposais de faire, et vous
comprenez que votre lettre ... Je me suis trouvée fort em-
barrassée ... J'ai un peu réfléchi et je me suis dit que, si
j'adressais mon petit discours à votre parrain, ce serait à
peu près comme si je vous l'adressais à vous-même. Je
suis donc venue, monsieur le curé, vous prier de vouloir
bien m'écouter.

— Je vous écoute, mademoiselle, balbutia l'abbé.

— Je suis riche, monsieur le curé, je suis très riche, et, à
vous parler franchement, j'aime beaucoup mon argent, oui,
je l'aime beaucoup. Je lui dois ce luxe qui m'entoure, ce
luxe qui, je l'avoue, — c'est une confession, — ne m'est aucunement désagréable. Mon excuse, c'est que je suis encore bien jeune, cela passera peut-être avec l'âge ... Mais,
enfin, cela n'est pas bien sûr. J'ai une autre excuse; c'est
que, si j'aime un peu mon argent pour les agréments qu'il

me procure, je l'aime beaucoup pour le bien qu'il me per-
met de faire autour de moi. Je l'aime en égoïste, si vous
voulez, pour la joie que me cause le plaisir de donner ...
Enfin, je crois que ma fortune n'est pas trop mal placée
5 entre mes mains. Eh bien, monsieur le curé, de même que
vous avez, vous, charge d'âmes, il me semble que j'ai, moi,
charge d'argent. Je me suis toujours dit: "Je veux que
mon mari soit, avant tout, digne de partager cette grande
fortune; je veux être bien certaine qu'il en fera bon usage,
10 avec moi, tant que je serai là, et, après moi, si je dois m'en
aller de ce monde, la première." Je me disais encore autre
chose ... Je me disais: "Celui qui sera mon mari, je
veux l'aimer!" Et voilà, monsieur le curé, où véritablement commence ma confession. Il est un homme qui,
15 depuis deux mois, a fait tout ce qu'il a pu pour me
cacher qu'il m'aimait ... Mais cet homme, je n'en
doute pas, il m'aime ... Jean, n'est-ce pas, vous
m'aimez?

— Oui, dit Jean, tout bas, les yeux fermés, comme un
20 criminel, je vous aime!

— Je le savais bien; mais, enfin, j'avais besoin de vous
l'entendre dire. Et maintenant, Jean, je vous en conjure,
ne prononcez plus un seul mot. Toute parole de vous serait inutile, me troublerait, m'empêcherait d'aller jusqu'au
25 bout et de vous dire ce que je tiens absolument à vous dire.
Promettez-moi de rester là, assis, sans bouger, sans parler
... Vous me le promettez?

— Je vous le promets.

Bettina perdait un peu de son assurance, sa voix trem-
30 blait légèrement. Elle reprit cependant avec un enjouement un peu forcé:

— Mon Dieu, monsieur le curé, je ne vous accuse cer-

tainement pas de ce qui est arrivé, mais pourtant tout cela
est un peu votre faute.

— Ma faute!

— Ah! ne me parlez pas, vous non plus. Oui, je le
répète, votre faute ... Je suis certaine que vous avez dit à 5
Jean beaucoup de bien de moi, beaucoup trop. Peut-être,
sans cela, n'aurait-il pas songé ... Et, en même temps, à
moi, vous me disiez beaucoup de bien de lui, — pas trop,
non, non, mais enfin beaucoup! — Alors, moi, j'avais tant
de confiance en vous, que j'ai commencé à le regarder et à 10
l'examiner avec un peu plus d'attention. Je me suis mise
à le comparer avec tous ceux qui, depuis un an, avaient
demandé ma main. Il m'a paru qu'il leur était de toute
manière absolument supérieur ... Enfin il est arrivé qu'un
certain jour ... ou plutôt un certain soir ... il y a trois 15
semaines, la veille de votre départ, Jean, je me suis aperçue
que je vous aimais ... Oui, Jean, je vous aime! ... Je
vous en conjure, Jean, ne dites rien ... restez assis ... ne
vous approchez pas de moi. J'avais fait, avant de venir
ici, provision de courage; mais je n'ai déjà plus, vous le 20
voyez, mon beau calme de tout à l'heure. J'ai encore
cependant certaines choses à vous dire ... et les plus im-
portantes de toutes. Jean, écoutez-moi bien. Je ne veux
pas d'une réponse arrachée à votre émotion. Je sais que
vous m'aimez ... Si vous devez m'épouser, je ne veux pas 25
que ce soit seulement par amour; je veux que ce soit aussi
par raison. Pendant ces quinze jours qui ont précédé votre
départ, vous avez pris un tel soin de me fuir, de vous dérober à tout entretien, que je n'ai pas pu me montrer à
vous telle que je suis. Il y a en moi peut-être certaines 30
qualités que vous ne connaissez pas ... Jean, je sais ce
que vous êtes, je sais à quoi je m'engagerais en devenant

votre femme, et je serais pour vous non pas seulement une
femme aimante et tendre, mais aussi une femme coura-
geuse et ferme.   Je connais votre vie entière, c'est votre
parrain qui me l'a racontée.   Je sais pourquoi vous êtes
5 soldat, je sais quels devoirs, quels sacrifices vous pouvez
entrevoir dans l'avenir ... Jean, n'en doutez pas, je ne
vous détournerai d'aucun de ces devoirs, d'aucun de ces
sacrifices.   Si je pouvais vous en vouloir de quelque chose,
je vous en voudrais peut-être de cette pensée, — oh! vous
10 avez dû l'avoir! — que je vous souhaiterais libre et tout
à moi, que je vous demanderais d'abandonner votre carrière.   Jamais! jamais! entendez-vous bien, jamais je
ne vous demanderai une pareille chose ... Une jeune fille
que je connais a fait cela, en se mariant; elle a fait une
15 chose qui était mal ... Je vous aime et je vous veux tel
que vous êtes.   C'est parce que vous vivez autrement et
mieux que tous ceux qui m'ont désirée pour femme que je
vous ai, moi, désiré pour mari. /Je vous aimerais moins,
je ne vous aimerais peut-être plus du tout, — cela me se-
20 rait bien difficile cependant, — si vous vous mettiez à
vivre comme vivent tous ceux dont je n'ai pas voulu ...
Quand je pourrai vous suivre, je vous suivrai, et partout
où vous serez sera mon devoir, partout où vous serez sera
mon bonheur.   Et, si le jour arrive où vous ne pourrez
25 pas m'emmener, le jour où vous devrez partir seul, eh bien!
Jean, ce jour-là, je vous promets d'avoir du courage, pour
ne pas vous enlever votre courage à vous ... Et maintenant, monsieur le curé, ce n'est pas à lui, c'est à vous que
je m'adresse ... je veux que ce soit vous qui répondiez ...
30 pas lui.   Dites ... s'il m'aime et s'il me sent digne de lui,
serait-il juste de me faire expier si durement ma fortune?
... Dites! ... ne doit-il pas accepter d'être mon mari?

JEAN POSA SUR SON FRONT UN PREMIER BAISER.

— Jean, dit gravement le vieux prêtre, épouse-la ...
c'est ton devoir ... et ce sera ton bonheur!

Jean s'approcha de Bettina, la prit dans ses bras et posa
sur son front un premier baiser.

Bettina se dégagea doucement, et, s'adressant à l'abbé: 5

— Et maintenant, monsieur le curé, j'ai encore quelque
chose à vous demander ... Je voudrais ... je voudrais...

— Vous voudriez? ...

— Je vous en prie, monsieur le curé, embrassez-moi.

Le vieux prêtre l'embrassa sur les deux joues, pater- 10
nellement, et ensuite Bettina:

— Vous m'avez dit bien souvent, monsieur le curé, que
Jean était un peu votre fils, — moi aussi, n'est-ce pas?
je serai un peu votre fille. Cela vous fera deux enfants,
voilà tout! 15

. . . .

Un mois après, le 12 septembre, à midi, Bettina, dans la
plus simple des robes de mariée,[1] traversait l'église de
Longueval, pendant que, placée derrière l'autel, la fanfare
du 9ᵉ d'artillerie sonnait joyeusement sous les voûtes de la
vieille église. 20

Nancy Turner avait sollicité l'honneur de tenir l'orgue [2]
en cette circonstance solennelle; car le pauvre petit harmonium avait disparu. Un orgue aux tuyaux resplendis-
sants se dressait dans la tribune de l'église. C'était le
cadeau de noces de miss Percival à l'abbé Constantin. 25

Le vieux curé dit la messe. Jean et Bettina s'agenou-
illèrent devant lui; il prononça la formule de la bénédiction
et resta ensuite, pendant quelques instants, en prière, les
bras étendus, appelant de toute son âme les grâces du ciel
sur la tête de ses deux enfants. 30

L'orgue fit alors entendre cette même rêverie de Chopin que Bettina avait jouée, la première fois qu'elle était entrée dans cette petite église de village où devait être consacré le bonheur de sa vie.

5   Et ce fut Bettina cette fois que pleura.

NOTES

Page 1. — 1. **en plein soleil,** *in the glaring sun.*

2. **plus de trente,** *more than thirty;* before numerals *de* is used instead of *que.*

3. **curé,** *parish priest.* The *curé* is the priest at the head of the parish, and, in the exercise of his duties, is responsible to the bishop.

4. **depuis . . . longeait le mur,** *had been walking alongside the wall for . . .*

5. **de relevée,** *in the afternoon;* now used only in legal language.

6. **à l'audience des criées** ('at the session devoted to auctions') **du tribunal civil,** *at the sheriff's sale conducted by the civil court.*

7. **Mise à prix,** *upset price* (the lowest price at which bidding would begin); *mise* = 'bidding.'

8. **La futaie et les bois,** *the old forest and the new growth.*

Page 2. — 1. **respectable somme,** *very considerable total;* but *un homme respectable* (following the noun), 'respected,' 'esteemed.'

2. **après l'adjudication . . . tout entier,** *after the conditional sale in four lots, the right was reserved of putting up the entire estate in one parcel.*

3. **son fils unique,** *her only son.* When *unique* stands before the noun, it means 'peculiar.'

4. **On avait dû . . . en vente,** *the estate had had to be put up for sale.*

5. **curé de campagne,** *country priest.*

6. **landau,** *carriage, coach,* so called from the city of Landau in Germany.

Page 3. — 1. **venait prendre,** *used to come and get.*

2. **la chasse aux pauvres,** *charitable work among the poor;* cf. hunting expressions: *la chasse au renard,* 'fox hunt'; *la chasse aux oiseaux,* 'fowling,' etc.

3. **tout plein l'église,** *a whole church full;* the adjective is invariable when used before the article.

4. **le mois de Marie,** *the month of May;* so called because of the celebrations held by the Roman Catholic Church during that month in honor of the Virgin Mary.

5. **grand' messe,** *high mass.* In this word and in about half a dozen others the apostrophe was first written by the grammarians of the sixteenth century, who supposed that the *e* of the feminine had been dropped. As a matter of fact the *e* had never been written in these words. Previous to the fourteenth century those adjectives which had only one form for both masculine and feminine in Latin had only one form for both genders in French.

6. **venait tenir le petit harmonium,** *used to come and play the little organ.*

7. **un peu musicienne,** *somewhat of a musician.*

8. **de bien bon cœur,** *very willingly.*

9. **notée comme cléricale,** *marked as belonging to the church party;* the clerical party was opposed to the separation of church and state, which it has been the policy of the Republic to bring about.

Page 4. — 1. **venait de finir,** *had just been passed,* lit. 'finished.'

2. **haute futaie,** *lofty forest;* a forest from one hundred and twenty to two hundred years old.

3. **tenait ensemble, faisait corps,** *was undivided, formed an organic whole.*

4. **un peu,** *in a sense.*

5. **se détachaient sur,** *stood out in contrast with.*

Page 5. — 1. **celui-ci de répondre,** *the latter replied;* an example of the so-called historical infinitive.

2. **S'il y en a un,** *if there is one.*

3. **monsieur le curé;** it is just as well not to translate such expressions. In English one would say, 'Father Constantine.'

4. **je vous dis que si,** *I tell you it is; si* instead of *oui* because an emphatic contradiction of a negative statement.

5. **me fermer la porte au nez,** *to shut the door in my face.*

6. **un brave homme,** *a good fellow;* following the noun, *brave* means 'brave.'

7. **sœurs,** *sisters of charity, nuns;* they are no longer permitted to teach in French schools.

Page. 6. — 1. **cures de canton,** *canton parishes;* the *canton* is one of the political divisions of France and is made up of a number of townships; a number of cantons make up an *arrondissement* (district), a number of the latter make up a *département* of which there are eighty-seven in France.

2. **palisser,** *to train up,* to attach the branches to a wall, arranging each branch in its proper place by means of leather, or some other pliable substance, tacked to the wall.

3. **médecin de campagne,** see page 2, note 5.

Page 7. — 1. **Le bon Dieu . . . purgatoire,** *the good Lord perhaps sent him to purgatory for a short time.*

2. **il a dû l'en retirer,** *he must have taken him out of it.*

3. **un kilomètre,** five-eighths of a mile.

4. **fit une folie,** *did a foolish thing.*

5. **Lui** is used instead of *il* for emphatic contrast.

6. **ne se soutenait . . . des expédients,** *kept up his position in society only by means of devices.*

Page 8. — 1. **l'hôtel de Paris,** *the Paris house.*

2. **Saint-Cyr,** a military school about fourteen miles from Paris. In the reign of Louis XIV there was a convent at Saint-Cyr, and, for the young ladies who were its inmates, Racine wrote his religious dramas *Esther* and *Athalie,* which were represented in the convent for the first time.

3. **chasseurs d'Afrique,** *African light cavalry; chasseur à cheval,* not *chasseur à pied,* which is usually meant by the word *chasseur.*

4. **pour ses débuts,** *as his début* (first appearance or beginning).

5. **maréchal des logis,** *sergeant* (in the cavalry).

Page 9. — 1. **se mettre au vert,** *to put himself out to grass;* an expression used of horses turned out for a season to pasture and rest.

2. **nous nous sommes mis d'accord,** *we have agreed.*

Page 10. — 1. **on était déjà debout dans l'assistance,** *those present were already standing,* i.e., about to leave.

Page 11. — 1. **Si je la connais!** *Do I know her!*

2. **il y a six semaines,** *six weeks ago.*

3. **Qu'est-ce que c'est que tous ces gens-là,** *who are all those folks?*

4. **ça en valait la peine,** *it was worth while.*

Page 12. — 1. **un hôtel,** *a (city) house.*

2. **parc Monceau,** a small park in the best section of Paris.

3. **Laisse donc,** *just let,* or *won't you let* (Mr. de L.).

4. **Voilà donc,** *well then, here are* . . .

5. **il y a,** see page 11, note 2.

6. **ce n'est rien encore,** *that is nothing in comparison.*

Page 13. — 1. **Bois,** the Bois de Boulogne, one of the large parks and pleasure grounds of Paris. The park took its name from a church erected in the fourteenth century in the neighboring village of Menus-les-Saint-Cloud in honor of Notre Dame de Boulogne.

2. **dame! ça n'est pas . . . tante Valentine,** *well, aunt Valentine's Wednesday receptions are not madly exciting.*

3. **Rentrons ensemble,** *let us go home together.*

4. **pour le moment,** *at present.*

Page 14. — 1. **à pleines mains,** *by the handful.*

2. **Les accessoires du cotillon,** *the favors of the cotillion.* These are the mementos generally presented by the hostess to the guests invited to a dance.

3. **ne s'en faisaient pas faute,** *did not fail to do so.*

4. **bondissant par-dessus . . . cerceaux de papier,** *skipping over streamers and going through paper hoops.*

Page 15. — 1. **Petit Journal,** a Paris newspaper.

2. **l'écuyère du cirque forain,** *the rider in the circus at the fair.*

3. **ministre des finances,** i.e., Secretary of the Treasury.

4. **vous avez beau être un saint,** *it will make no difference if you are a saint. Avoir beau* = 'to be in vain,' 'to be useless.'

5. **prendre les choses au tragique,** *look on the dark side of things.*

Page 16. — 1. **comme elle lève les pattes,** *how she steps out,* lit., 'lifts her hoofs.'

2. **Une fois que . . . tout le temps,** *when once she is really in her gait, she makes four leagues an hour, and it is all I can do to manage her all the time;* for *plein* see page 3, note 3.

3. **tôt!** *gently!* interjection addressed to the horse.

4. **C'est que,** 'the fact is that,' merely omit in translating.

5. **le chemin des écoliers,** *the longest way.*

Page 17. — 1. **des rallye-papers, des chasses à courre,** *hare and hounds, hunting with hounds.* *Rallye-papers* (English rally papers) are the papers thrown on the ground by the boys who act as hares, and which are to be followed by those who act as hounds.

2. **chapeaux à haute forme,** *high hats.*

3. **soient fièrement bien faites,** *should have splendid figures.*

4. **agita en l'air son képi,** *waved his (military) cap.*

Page 18. — 1. **Je viens de chez vous,** *I am coming from your house.*

2. **fait de la peine à,** *troubles.*

3. **je suis de semaine,** *I am on duty this week.* Each took his turn and was on duty one week at a time.

4. **Pour la botte?** *For stable inspection?*

5. **Paul rendit la main à son petit cheval,** *Paul gave his little horse the rein.*

6. **quel brave garçon,** *what a fine fellow.*

7. **si,** *yes;* see page 5, note 4.

Page 19. — 1. **tenez, le bon terrain,** *look, what a fine road.*

2. **laisser marcher Niniche,** *let Niniche out.*

3. **d'un train d'enfer,** *at a very lively gait;* 'infernal' is strictly the meaning of *d'enfer.*

4. **lève les pattes,** see page 16, note 1.

5. **au concours d'agrégation,** *at the competitive examination.* This is an examination held annually at the University, on the result of which professors' diplomas are granted.

Page 20. — 1. **au bout du compte,** *after all.*

Page 22. — 1. **mobilisés,** *militia;* they were called out to take part in the war of 1870–71 in which Germany defeated France and took from her Alsace and Lorraine.

2. **Il ne devait plus les revoir,** *he was never to see them again.*

Page 23. — 1. **il se meurt,** *he is about to expire;* cf. *il meurt,* 'he dies.'

2. **battait l'air de ses bras,** lit., 'beat the air with his arms,' *threw up his arms.*

3. **tué net,** *killed outright.*

4. **quinze jours,** *a fortnight.*

5. **peintures . . . outrées;** reference is here made to the style of novel introduced by Gustave Flaubert in his *Madame Bovary,* published in 1857, and to the novels of the most eminent of his successors in this style, Guy de Maupassant and Émile Zola.

Page 24. — 1. **il a dû te laisser,** *he must have left you.*

2. **il ne devait pas y avoir place,** *there should not be room.*

Page 25. — 1. **conseil de famille,** a council or board of relatives, presided over by a justice of the peace, to discuss matters concerning a minor.

2. **Madame de Lavardens . . . fut parfaite,** *Madame de Lavardens behaved admirably.*

Page 27. — 1. **cela ne se peut pas,** *that is impossible.*

Page 28. — 1. **laissons faire le temps,** *let time bring it about.*

2. **l'École polytechnique,** a national school at Paris for training in military science and other departments of the public service.

3. **je veux sortir dans l'armée,** *I want to enter the army on leaving.* Those who stand highest can have civil places, which pay better. If Jean stands high, the one below him can have a civil place which he does not take.

4. **faire l'affaire de,** *suit, serve the turn.*

5. **Le classement de sortie,** *the graduation rank list.*

6. **l'École des ponts et chaussées,** a school at Paris for the special training of students in civil engineering for government service.

7. **l'École d'application de Fontainebleau,** *the Fontainebleau school of military tactics.* This is a school for training officers for the artillery and engineers.

8. **devenue grande,** *who had grown up.*

9. **deux titres de rente,** 'two shares of government stock,' *two annuities.* This is the annual interest which the government pays to those who have advanced money on account of the public debt.

Page 29. — 1. **ça va bien?** *how goes it? how are you?*

2. **la vieille figure parcheminée,** lit., 'the old face which looked like parchment,' *the old wrinkled face.*

Page 30. — 1. **des œufs au lait,** *floating islands.*

2. **même que,** colloquial = *et.*

3. **là,** *here.*

Page 31. — 1. **en un tour de main . . . le bouchonna,** *in the twinkling of an eye rubbed him down with a big bunch of straw.*

2. **képi,** see page 17, note 4.

Page 32. — 1. **que,** *since.*

2. **qui sonnait un peu la ferraille,** *which made a somewhat jingling noise,* i.e., was old and out of repair.

3. **porte à claire-voie,** *lattice gate.*

4. **calèche de louage,** *a livery (hired) carriage.* — **attelée de,** 'hitched up,' freely, *drawn by.*

Page 33. — 1. **au moins,** 'at least,' may be the equivalent of various expressions in English; here = *I hope.*

2. **en,** often, as here, forms part of a verbal idiom; it has an indefinite reference like 'of affairs,' or 'in the matter,' but is not to be translated.

3. **la banquette de devant,** *the front seat.*

Page 34. — 1. **sommaire,** lit., 'summary,' here, *scanty.*

2. **avait mis les deux couverts de,** *had set the two places (covers) for;* by *couvert* is meant plate, knife and fork, and spoon.

3. **damnées,** *lost souls.*

Page 35. — 1. **savent bien,** *are skilful in.*

2. **à me tirer d'affaire,** *in getting along.*

3. **Vous seriez,** *can it be that you are;* a common use of the conditional to denote possibility.

4. **les bras au ciel,** *with uplifted arms.*

Page 36. — 1. **tout à fait dans les règles,** *entirely in the conventional style.*

2. **de la maison,** *one of the family.*

Page 37. — 1. **Il doit y avoir,** *there must be.*

Page 38. — 1. **plus que cela n'est juste,** *more than is right.*

2. **le,** *for it.*

3. **Vous seriez bien bonne,** *would you be so kind.*

4. **votre couvert est mis,** *your table is set.*

Page 39. — 1. **Laissez donc,** *don't interfere.* — **vous voulez bien,** *you will, won't you?*

2. **en,** see page 33, note 2.

3. **Voyons, Suzie, ne faites pas la moue,** *come, Susie, don't* (*pout*) *be vexed.*

Page 40. — 1. **vous me permettrez . . . comme chez moi,** *you will allow me to make myself somewhat at home.*

2. **une ravissante débâcle,** *an enchanting disaster.*

3. **venant frapper en plein,** *striking directly.*

Page 41. — 1. **si bien que,** *so that.*

Page 42. — 1. **que,** see page 32, note 1.

2. **s'etaient adressé la parole,** *had spoken to each other.*

3. **il y a huit jours,** *a week ago.*

4. **de mes nouvelles,** 'news from me,' *hear from me.*

5. **un peu de partout,** *from almost everywhere.*

6. **au bois** doubtless refers to the *Bois de Boulogne;* see page 13, note 1.

Page 43. — 1. **Voyons, où en étais-je,** *well, where was I;* see page 33, note 2.

2. **il n'est question que de cela,** *there is nothing else talked about.*

3. **ligne du Nord,** the *Northern Railway*, from Paris to points north.

4. **rire fou,** *immoderate laughter.*

5. **se vendait,** *was to be sold;* the reflexive is often used as a passive.

Page 44. — 1. ce fut le tour . . . de fer, *a railway-guide came next.*

2. qui m'intrigue, *which puzzles me.*

3. du moment que, *since.*

Page 45. — 1. y a-t-il eu là quelqu'un, *was any one present.*

2. des charbons ardents, *live coals.*

3. a dû parler, *must have spoken.*

4. un mensonge pieux, *a white lie.*

5. s'est dit, see page 43, note 5.

6. **Mon Dieu!** *Dear me!*

Page 46. — 1. Ah! par exemple! *Well! the idea!*

2. j'ai eu la main heureuse, 'I had a good hand,' *been in luck.*

3. s'il court sur mon compte, *if there are circulating regarding me.*

Page 47. — 1. A la bonne heure! Voilà qui est parler. *Good! That's the way to talk.*

2. Il y a de cela huit ans, *that was eight years ago.*

3. suivant d'assez près notre mère, *rather soon after our mother.*

4. Il s'agissait de la possession, *the difficulty was about the possession.*

Page 48. — 1. allait bien m'y contraindre, *was certainly on the point of forcing me to do it.*

2. j'eus un accès de faiblesse, *I broke down.*

3. crise de nerfs, 'nervous fit,' *hysterics.*

Page 49. — 1. C'est fait. Il n'y a pas à y revenir, *that is agreed. There is no backing out.*

2. à tous deux defines *notre.* It shows that only the two sisters are meant.

Page 50. — 1. faire, sur . . . très large la part des . . ., *to give of this income a large part to . . .*

2. un peu vif, *a little hasty.*

Page 51. — 1. à sensation, *sensational.*

2. me fit crever, here *said that I broke through.*

3. de bien drôles de journaux, *very funny newspapers.*

4. si bien que, cf. page 41, note 1.

5. tous les quatre, *we four.* It defines *nous* before the verb.

Page 52. — 1. **pendre la crémaillère,** lit., 'hang the pothook,' *the house warming.* The figure is taken from the old style of cooking when the pots and kettles were suspended from hooks in the open fireplace.

Page 53. — 1. **Pauline avait pris les devants,** *Pauline had gone ahead.*

2. **enfants de chœur,** *choir boys.*

3. **va-t-il être content,** *won't he be pleased!*

4. **Chopin** (1809–1849), distinguished French composer.

Page 54. — 1. **évolutions d'ensemble,** *battalion drill.*

2. **des manœuvres de batteries attelées,** *mounted artillery manœuvres.*

3. **travaille pour son compte,** *performs its part independently.*

4. **lieutenant en premier,** *first lieutenant.*

5. **les distances,** *the spaces* (between the cannons).

6. **en contact,** *in collision.*

7. **Qu'est-ce que vous avez,** *what is the matter with you?*

Page 55. — 1. **servants,** *artillery men.*

2. **plus de commandement,** *no more commanding.*

Page 56. — 1. **à grande allure,** *very rapidly.*

2. **dans les flots . . . épars,** *her bright hair flowing in waves.*

Page 57. — 1. **il devait lui être donné,** *he was to have the privilege.*

2. **s'effaça,** see page 43, note 5.

3. **Aurais-je fait . . . la bêtise,** *can I have had the folly;* cf. page 35, note 3.

4. **lui** is used for emphasis.

5. **Il croyait . . . retrouver,** i.e., he continually thought he was falling in love for the first time, when it was only the recurrence of a former experience.

Page 58. — 1. **un peu sauvage . . . paysan,** *somewhat uncouth, somewhat rustic.*

2. **à la fête patronale,** *at the celebration in honor of the patron saint.* Every French *commune* has its patron saint whose anniversary is celebrated by a procession, which is generally followed by a dance.

3. **le plus grand des hasards,** *the merest chance.*

4. **par cela même,** *for that very reason.*

5. **entrait en campagne,** lit., 'was beginning his campaign,' *was starting on his rounds.* The expression is a military one.

Page 59. — 1. **et . . . et,** *both . . . and.*

2. **monnaie blanche,** *silver coin.*

Page 60. — 1. **Sébastopol,** in the Crimea, a peninsula in the Black Sea, was besieged by the English and French from October, 1854, to September, 1855, and taken from the Russians.

2. **la Tunisie. . . . Kroumirs.** Reference is here made to the incursions of the Krumirs, a tribe which dwelt in the mountains of Tunis, upon the French colony of Algeria. They were reduced to subjection by a French force in 1881.

3. **vous aurez bien soin de . . .,** *you are to be sure to . . .*

Page 61. — 1. **cabinet de toilette,** *dressing room.*

2. **il fallait bien choisir,** *choose she had to.*

3. **Aïda,** an Italian opera by Verdi; first represented in 1871.

4. **demoiselles du corps de ballet,** *ballet girls.*

5. **en scène,** *on the stage.*

6. **l'attache des bras,** *the shoulders.*

Page 62. — 1. **à elle,** *of her own.*

2. **un joli banco,** *a nice sum; banco* is a gambling term, and literally means *bank; faire banco* = 'take the whole stake.'

3. **soit,** imperative of *être,* used as an interjection, 'be it so,' 'granted,' *well and good.*

4. **Radamès,** captain of the king's guard in *Aïda.*

Page 63. — 1. **c'est encore . . . de mieux,** *he is still the best.*

2. **aimer,** *to be in love.*

3. **Turenne,** one of the great military leaders of the seventeenth century. He was born at Sedan in 1611, and was killed in an engagement at Salzbach in 1675. He served in the war in Holland under his uncles Maurice and Henry of Nassau. After serving in Lorraine and Flanders, he was named marshal in 1643. His chief services were then rendered, in leading the French forces on the eastern border of France.

4. **pas trop mal,** *rather well.*

Page 64. — 1. **Champs-Élysées,** the finest avenue in Paris. It is a little more than a mile in length, and extends from the Place de la Concorde to the Arc de Triomphe.

2. **boulevard Malesherbes,** a boulevard which extends from the church of the Madeleine northwestward to the city limit.

3. **la plaine de Passy,** a suburb of Paris. It has been a favorite suburban place of residence for literary men.

4. **la plaine de Monceau;** the Monceau park is in Paris about a mile northeast of the Arc de Triomphe.

Page 65. — 1. **le cinq pour cent,** *five per cent government bonds.*

Page 66. — 1. **Je m'en rapporte absolument à vous,** *I rely entirely on you.*

Page 67. — 1. **Ils montent dans une rare perfection,** *they ride exceedingly well.*

2. **Deux vrais petits amours,** *two real little darlings.*

3. **Nous menons très bien à quatre,** *we drive four-in-hand very well.*

4. **Bois,** see page 13, note 1.

5. **qui n'avait pas eu de flair,** *who had not been sharp enough; avoir le flair* is a hunting term meaning 'to be on the scent of.'

6. **il avait senti . . . de la hausse,** *he had expected a fall when he should have expected a rise.*

7. **battant neuf,** *brand new.*

8. **un acte de location,** *a lease.*

9. **de grand style,** *fashionable.*

Page 68. — 1. **faubourg Saint-Germain.** The part of Paris on the left side of the Seine, between the Hôtel des Invalides and the Sorbonne. Under the monarchy it was the chief residential quarter of the aristocracy.

2. **Il lui en coûtait un peu,** *it cost him some effort.*

3. **sur le même pied,** *on the same footing.*

4. **prendre des renseignements,** *to make inquiries.*

5. **costume de ville,** *plain clothes* (not livery).

Page 69. — 1. **pour donner des leçons de guides à ces dames,** *to teach these ladies to drive.*

2. **du rapide,** *from the limited.* — **Havre,** one of the important ports of France.

3. **à la (mode) Parisienne,** *in the Parisian way.*

Page 70. — 1. **en plein visage,** *squarely in the face.*

2. **Mazette!** *Gee!* i.e., aren't they beauties! Parisian slang.

3. **Madame Récamier,** one of the most beautiful and brilliant French women at the beginning of the last century. Her *salon* was the resort of all the beauty, wit, fashion, and aristocracy of the time. Her *Mémoires* are valuable as a contribution to the history of the time, as she was on intimate terms with Napoleon.

4. **il n'y a plus d'illusion à se faire,** *I can't delude myself any longer.*

5. **le cadre de réserve,** *the retired list;* the expression is a military one.

Page 71. — 1. **l'allée des Acacias,** one of the principal drives in the Bois de Boulogne.

2. **prit immédiatement tournure,** *took shape at once, became at once the fashion.* — **salon** refers to the famous social gatherings at the houses of certain brilliant Parisian ladies, e.g., Mme de Staël and Mme Récamier.

Page 72. — 1. **mercredi,** *Tuesday (reception).*

2. **clientèle,** i.e., *visitors.*

3. **aimait qu'on s'en aperçût,** *liked to have people notice it.*

4. **le goût des affaires,** *a taste for business.*

5. **rien de tel que de n'avoir pas. . .,** *nothing like not having . . .*

6. **la ressource des passions internationales,** *no advantage in international love affairs.*

Page 73. — 1. **ne prenait . . . au sérieux,** *did not for a moment view the game seriously.*

2. **Lui,** '*she* loved him well,' or *as for her*, etc.

3. **maîtres légitimes;** according to the "legitimists," a descendant of Louis Philippe, who was king from 1830 to 1848, is the *maître légitime* of France.

Page 74. — 1. **chaîne des traditions napoléoniennes,** i.e., would call again to the throne a representative of Napoleon.

2. **Chambre,** *Chamber (of Deputies),* the lower house of the French legislative body.

3. **soirée de contrat,** a meeting of the relatives and friends to hear the marriage contract read.

4. **l'arc de l'Étoile,** or *l'arc de triomphe,* at the highest point in the avenue *les Champs-Élysées.*

5. **l'almanach Bottin,** the name of the Paris directory. It is generally called simply *le Bottin.*

Page 75. — 1. **vieille fille,** *old maid.*

2. **je n'en suis pas là,** *I have not reached that point.*

3. **en s'y prenant mieux,** *in going about it.*

4. **est-ce ma faute, à moi,** 'is it *my* fault.'

5. **Ce chemin . . . serait-il,** *can it be that this road is.*

Page 76. — 1. **m'en doute bien un peu,** *have a slight suspicion of what it is.*

2. **Complet,** 'full,' 'room for no more'; sign on omnibuses, when all seats are taken.

3. **Je n'en viendrai jamais à bout!** *I should never succeed in doing that!*

4. **que si,** see page 5, note 4. The *que* is redundant.

Page 77. — 1. **Et d'un! . . . A l'autre!** *That's one! Now for the other!*

2. **C'est cela même,** *they are the very ones.*

3. **dans un coupé,** *in a compartment (of the car).* French cars are divided into five or six compartments, each capable of seating from four to ten passengers. The entrance doors are on the sides, and not at the ends of the car.

Page 78. — 1. **en garçons,** *like bachelors.*

2. **Pas tant que cela,** *not so bad as that.*

Page 79. — 1. **arrondie,** 'rounded off,' *in fine style, with a whirl.*

2. **comme c'était tenu,** 'how it was gotten up,' *how fine (stylish) it was.*

Page 80. — 1. **force est bien de le reconnaître,** *it must indeed be admitted.*

2. **dans,** *from.*

3. **sont très en l'air**, *are very lively.*

4. **les deux chevaux de pointe**, *the first two horses, the leaders.*

5. **avec une incomparable virtuosité**, *with masterly skill.*

Page 81. — 1. **garder une allure un peu serrée**, *keep a somewhat slow gait.*

2. **un train d'enfer**, see page 19, note 3.

Page 82. — 1. **fit aux deux sœurs . . . son Parisien**, *bowed to the two sisters in the most polite way and according to the most approved Parisian style.*

Page 83. — 1. **recevait assez largement**, *entertained rather freely.*

Page 84. — 1. **se faire**, see page 43, note 5.

2. **C'est à peine si le curé les regarda**, *the priest scarcely looked at them.*

3. **ouvrit à deux battants**, *opened wide the folding doors;* the fold or wing of a double door is called a *battant.*

4. **l'Empire**, i.e., the Empire of Napoleon I.

Page 85. — 1. **valenciennes**, *Valenciennes lace.*

2. **La robe . . . en carré**, *the dress was very low in front and cut square.*

Page 86. — 1. **occupé militairement**, *taken by storm, taken possession of.*

2. **voilà que**, *there!* or *just see!*

Page 87. — 1. **si bien que**, see page 41, note 1.

2. **grand jour**, *broad daylight.*

Page 88. — 1. **ce qui me va le mieux**, *what suits me best.*

Page 89. — 1. **constructions**, *structures*, i.e., dishes.

2. **que**, *how many.*

Page 90. — 1. **se prenant déjà de tendresse pour**, *already beginning to like.*

Page 91. — 1. **d'un meilleur cœur**, *more heartily.*

2. **comblé**, i.e., with blessings.

3. **étaient bien pour quelque chose**, *had some share.*

4. **s'étaient renversées**, *had leaned back.*

Page 92. — 1. *Something childish, but very natural,* a poem by Coleridge, translated from a German folk song, *Wenn ich ein Vöglein wär',* and sent to Mrs. Coleridge from Göttingen in a letter, April 29, 1799.

Page 93. — 1. **Il le faut bien!** *But we must!*

2. **au passage,** *in passing.*

Page 94. — 1. **A partir du 25,** *after the 25th.*

2. **je ne sais pas trop . . . s'est fait,** *I hardly know . . . came about.*

3. **à demain,** *good-bye until to-morrow.*

4. **Je m'y attends,** *I am expecting it.*

Page 95. — 1. **Là-dessus, nous voilà rentrées,** *at any rate, we're back again.*

Page 97. — 1. **en aurait,** *would have something.*

2. **Allons, Jean, un bon mouvement,** *come, John, do a kind act.*

3. **montée,** *incensed.*

4. **tu auras . . . beau faire,** 'you will talk and act in vain,' *whatever you may say or do.*

Page 100. — 1. **à toutes les deux,** see page 49, note 2.

2. **à moi,** i.e., *de vous remercier.*

3. **m'en tirer,** 'get out of my difficulty,' *say what I want to say.*

4. **quand le Canada était encore la France.** The French power in Canada fell with the capture of Quebec by the British in 1759. The country was formally ceded by France to Great Britain by the Treaty of Paris, 1763.

Page 102. — 1. **à prendre . . . du curé,** *to put up good-naturedly with the indiscretions of the priest.*

2. **Si fait!** *yes, indeed.*

3. **trou de garçon,** *bachelor's den.*

Page 103. — 1. **Lilliput** (pronounce the *t*); the Lilliputians were the tiny people described in Swift's *Gulliver's Travels.*

2. **les écoles à feu,** *target practice.*

Page 104. — 1. **ne se fit pas d'illusion,** see page 70, note 4.

2. **elle avait porté en plein cœur,** *it had struck right in his heart.*

3. **il s'en prenait aux circonstances,** *he blamed circumstances for it.*

Page 105. — 1   des Trente-Quatre refers to her thirty-four suitors.

Page 106. — 1. ville ouverte, 'unfortified town,' *open house.*
2. ça va . . . et ça ne va pas, *that is all right . . . and that isn't all right.*

Page 107. — 1. à n'en plus finir, *without end.*
2. **Commandant,** *commander* of a battalion, ranking about with a major.

Page 108. — 1. je n'y ferai pas mes frais, 'I shall not make my expenses,' *I shall get nothing for my trouble.*

Page 109. — 1. ne pouvait . . . s'y méprendre, *could scarcely fail to misunderstand it.*

Page 110. — 1. elle lui ferait un peu de morale, *she would give him a little lecture.*

Page 113. — 1. J'ai tenu à venir, *I was bent on coming.*

Page 116. — 1. chez moi, *to my room.*

Page 117. — 1. à faire peur, *frightful.*

Page 118. — 1. cela se gagne, *that is contagious.*
2. je me suis . . . monté la tête, *I was perhaps a little hasty.*

Page 120. — 1. Sage comme une image, *as good as a saint.*
2. A la bonne heure! *That's right!*
3. pour tout de bon, *in reality.*

Page 123. — 1. parapluies d'antichambre, *servants' umbrellas;* the *antichambre* is the servants' hall.
2. font rage, *are raging.*
3. lui fait presque quitter terre, *almost takes her off her feet.*

Page 124. — 1. tant bien que mal, *as best she can.*
2. trompettes, masculine, *trumpeters;* 'trumpet' is *la trompette.*

Page 126. — 1. en wagon, 'in the railway car,' *on the train* (for Havre).

Page 127. — 1. **tenez, ici même,** *why, to this very place.* — **tenir** (next line), 'to make use of.'

2. **un peu bourgeois,** *somewhat commonplace.*

3. **de par le monde,** *somewhere in the world.*

Page 128. — 1. **Trouville,** a watering place on the Channel near Havre.

2. **il a pas;** the negative *ne* is often omitted in conversation by young children, and even occasionally by grown people in the very familiar conversational style.

Page 129. — 1. **y avait,** for *il y avait.* — **Guignol,** Punch and Judy show.

Page 130. — 1. **le rappeler au souvenir de,** *remember him to.*

2. **A tout à l'heure,** *good-bye* (*for a short time*).

Page 131. — 1. **à bureau ouvert,** *on demand.*

2. **On viendra s'établir pauvre,** *people will come and set up as paupers;* cf. such expressions as, *s'établir cordonnier,* 'set up (in business) as shoemaker.'

Page 133. — 1. **là, à côté,** 'there, close by,' *yonder in the churchyard.*

Page 134. — 1. **Aussi bien,** *and really.*

Page 136. — 1. **s'en faisait fête,** *was eagerly anticipating it.*

2. **en pleine nuit,** *in the blackness of night.*

Page 137. — 1. **désorienté,** *bewildered;* cf. *s'orienter,* 'to get one's bearings.'

Page 140. — 1. **ils se laissaient faire,** *they let her treat them as she pleased.*

Page 145. — 1. **robe de mariée,** *wedding dress.*

2. **tenir l'orgue,** *of playing the organ.*

VOCABULARY

A

à, to, at, in, for.

abandon, *m.* desertion; ease, freedom from reserve.

abandonner, to desert, leave, forsake; **s'—,** give way, give up.

abat-jour, *m.* shade.

abattre, to throw down, hurl down, beat, pull down; **s'—,** fall, alight.

abbé, *m.* abbot, priest.

abnégation, *f.* self-denial, sacrifice, abnegation.

abondant, abundant, plentiful.

abord (d'), at first, first.

abri, *m.* shelter, protection, refuge, cover.

abriter, to screen, shelter.

absolu, –e, absolute.

absolument, absolutely, positively.

absorber, to absorb.

accablement, *m.* weariness, heaviness.

accabler, to overwhelm, crush, overpower.

accepter, to accept.

accès, *m.* fit, attack.

accessoire, *m.* accessory, favor.

accommoder, to accommodate, suit.

accompagner, to accompany.

accomplir, to accomplish, fulfil, perform.

accord, *m.* concord, agreement, sound, harmony; **d'—,** agreed, granted.

accorder, to grant, give.

accoudé, leaning.

accourir, to hasten.

accroître (s'), to grow, increase.

accueil, *m.* welcome, reception.

accueillir, to welcome, receive.

accuser, to blame, accuse.

acheter, to buy.

acheteur, *m.* buyer.

achever, to finish, end, complete.

acquéreur, *m.* buyer.

acquisition, *f.* purchase, acquisition.

acte, *m.* act, action.

additionner, to add.

adjudication, *f.* award, adjudication.

adjuger, to award, knock down, sell.

admettre, to admit.

administration, *f.* administration, management.

admirer, to admire.

admis, *p.p. of* **admettre.**

adorateur, *m.* admirer.

adorer, to adore, worship.

adoucir, to soften, smooth, allay.

adresse, *f.* skill, address.

adresser, to address, direct.

adroit, –e, clever, skilful.

adroitement, cleverly, skilfully, adroitly.

adversaire, *m.* opponent, adversary.

affaire, *f.* affair, matter; *pl.* business; **avoir — à,** to have to do with.

affectueusement, fondly, affectionately.

affiche, *f.* bill, placard.

affliger, to afflict, trouble.

affreusement, frightfully, dreadfully.

affreu-x, –se, frightful, dreadful, horrible.

Afrique, *f.* Africa.

âgé, –e, old, aged.

agenouiller (s'), to kneel down.

agir, to act, do; **il s'agit,** the question is, the trouble is.

agiter, to agitate, shake, disturb; **s'—,** be agitated, struggle, move.

agrafe, *f.* hook, clasp.

agréable, pleasant, agreeable.

agrégation, *f.* fellowship.

agrément, *m.* pleasure, charm, comfort.

aider, to help, aid.

aille, *subj. of* **aller.**

ailleurs, elsewhere; **d'—,** besides.

aimable, kind, amiable, pleasant.

aimer, to love, like.

ainsi, thus, so.

air, *m.* look, air, appearance.

aise, *f.* ease; **être à son —,** to be well-to-do.

ajouter, to add.

Algérie, *f.* Algiers.

aligné, in a straight line.

allant, –e, lively, active.

allée, *f.* walk, avenue.

alléguer, to allege, urge.

allemand, –e, German.

aller, to go; **s'en —,** go away; **allez,** come (now), indeed.

allonger, to lengthen, stretch out; **— un coup,** deal a blow, hit.

allons, *interj.* come, come along.

allure, *f.* gait, pace, conduct.

alors, then.

alternativement, alternately.

amazone, *f.* riding habit, rider.

ambulant, –e, traveling, strolling.

âme, *f.* soul, spirit, mind, heart.

amener, to bring.

américain, –e, American.

ameublement, *m.* furnishing, furniture.

ami, –e, friend.

amicalement, in a friendly way, amicably.

amitié, *f.* friendship.

amour, *m.* love.

amoureu-x, –se, fond of, in love, enamored.

amuser, to amuse, entertain; **s'—,** have a good time.

an, *m.* year.

analyser, to analyze.

ancien, –ne, old, former, ancient, late.

anéanti, –e, exhausted, prostrated, broken down.

ange, *m.* angel.

anglais, –e, English.

Angleterre, *f.* England.

animé, lively, animated.

année, *f.* year.

annoncer, to announce.

antichambre, *f.* hall, vestibule.

août, *m.* August.

apaiser, to soothe, calm, appease; **s'—,** grow calm.

apercevoir, to perceive, see.

apoplexie, *f.* apoplexy.

apparaître, to appear.

appareillé, matched.

apparence, *f.* appearance.

apparition, *f.* appearance.

appartenir, to belong.

appartenir (s'), to be free, be one's own master.

appel, *m.* call, appeal.

appeler, to call; **s'—,** be named.

appétit, *m.* appetite.

appliquer, to apply.

apporter, to bring.

apprécier, to appreciate, value.

apprendre, to hear, learn, teach.

approcher, to come near, approach; **s'— de,** approach.

approuver, to approve.

approvisionnement, *m.* supplying, supply.

appui, *m.* support; **à hauteur d'—,** breast high.

appuyer, to lean, support; **s'—,** lean, rest.

après, after; **d'—,** after, from, according to.

après-demain, the day after to-morrow.

après-midi, *f.* afternoon.

arbre, *m.* tree.

arc, *m.* arch.

ardent, –e, hot, burning, fiery.

ardeur, *f.* ardor, eagerness.

argent, *m.* silver, money.

aristocratique, aristocratic.

armée, *f.* army.

arracher, to tear, pluck, pull, extort.

arranger, to arrange, put in order; **s'—,** settle, fit, suit.

arrêt, *m.* decree, sentence.

arrêter, *tr.* to stop; **s'—,** stop.

arrière, back; **en —,** backwards.

arrière-grand-père, great-grandfather.

arrière-pensée, *f.* mental reservation.

arrivée, *f.* arrival.

arriver, to arrive, come, happen.

artifice, *m.* art; **feu d'—,** fireworks.

artillerie, *f.* artillery.

artilleur, *m.* artilleryman.

artiste, *m. f.* artist.

ascendant, *m.* mastery, ascendancy.

asile, *m.* refuge.

assaut, *m.* storm, assault.

assentiment, *m.* consent, assent.

asseoir, to sit, seat, set; **s'—,** sit down.

assez, enough, sufficiently, rather.

assidu, –e, attentive, assiduous.

assiette, *f.* plate.

assis , –e, seated; *p.p. of* **asseoir.**

assistance, *f.* company, audience, assistance.

assister, to assist, be present.

assoupir (s'), to become drowsy, fall asleep.

assurément, surely, certainly.

assurer, to assure.

attache, *f.* attachment.

attacher, to tie, fasten, attach.

attaque, *f.* attack.

attaquer, to attack, begin.

attarder (s'), to delay, be belated.

atteindre, to attain, reach.

attelage, *m.* hitching up, team.

atteler, to hitch, harness, put horses to.

attendre, to wait, expect, await; **s'y —,** expect it.

attendri, –e, touched, moved, affected.

attendrissement, *m.* emotion, feeling, tenderness.

attention, *f.* attention; **faire —,** to take care.

attifer, to deck out, trick up.

attirer, to draw, attach.

attribuer, to attribute, ascribe; **s'—,** claim, assume.

auberge, *f.* inn, hotel.

aucun, –e, any.

aucunement, by no means, not at all.

audacieu-x, –se, bold, daring, audacious.

au delà, beyond.

au-dessous, beneath.

au-dessus de, above, over.

au-devant de, before, towards, to meet.

audience, *f.* hearing, session.

auditoire, *m.* audience.

aujourd'hui, to-day.

aumône, *f.* alms, charity.

aumônier, *m.* chaplain.

auparavant, before.

auprès, near, with, to, by, close to.

aussi, also, too, therefore.

aussitôt, at once, directly, immediately; **— que,** as soon as.

autant, as much, as many; **d'— mieux,** the more so.

autel, *m.* altar.

automatiquement, automatically.

autour, around, about.

autre, other.

autrefois, formerly.

autrement, otherwise, differently.

avance, *f.* start, advance, advantage; **prendre l'—,** to get the start; **à l'- ·,** beforehand; **d'—,** in advance.

avancement, *m.* advancement, promotion.

avancer, to advance, move on.

avant, forward, before; **en —!** forward!

avantage, *m.* advantage, gain.

avantageu-x, **-se,** advantageous, profitable.

avant-hier, day before yesterday.

avant-train, *m.* limber, fore-carriage.

avare, *m.* miser.

avec, with, among, by.

avenir, *m.* future, career, prospects.

aventuri-er, **-ère,** adventurer, adventuress.

aveugler, to blind.

avidement, eagerly, greedily.

avis, *m.* advice, opinion, mind.

aviser, to advise, think; **s'—,** think of, take into one's head, venture.

avoir, to have; **il y a,** there is.

avoué, *m.* attorney.

avouer, to confess, own.

avril, *m.* April.

B

bah, nonsense!

baignoire, *f.* (corner) box.

bail, *m.* lease.

baiser, *m.* kiss.

baissé, **-e,** down, fallen, lowered.

bal, *m.* ball.

balbutier, to stammer.

balcon, *m.* balcony.

balle, *f.* bullet.

balzane, *f.* spot.

banc, *m.* seat, bench, pew.

banderole, *f.* ribbon, band.

banquette, *f.* seat, bench.

banquier, *m.* banker.

baptême, *m.* baptism.

baptiser, to baptize.

baronne, *f.* baroness.

barre, *f.* bar, bolt.

barricader, to barricade.

bas, **-se,** low, mean, dark.

bas, *m.* bottom; **à —,** down; **là-—,** yonder; **en —,** downstairs.

bataille, *f.* battle, fight.

bataillon, *m.* battalion.

bâton, *m.* stick, staff.

batterie, *f.* battery.

battre, to beat.

bavarder, to prattle, chatter, babble.

beau, **belle,** beautiful, fine, handsome.

beaucoup, much, many.

beau-frère, *m.* brother-in-law.

beauté, *f.* beauty.

belle, *f. of* **beau.**

belle-sœur, *f.* sister-in-law.

bénéfice, *m.* benefit, profit.

bénir, to bless.

besogne, *f.* business, work.

besoin, *m.* need, want.

bêtement, stupidly.

bêtise, *f.* foolishness, nonsense, silliness; **faire des—s,** be wild.

bibelot, *m.* trinket, bauble.

bichonner, to beautify, bedeck.

bien, *m.* good, welfare, property, estate.

bien, well, much, truly, indeed, very, many, finely; **— que,** although; **vouloir —,** to be willing.

bienfaisant, kind, good, benefi-
cent.

bientôt, soon.

bijou, *m.* jewel.

billet, *m.* note, letter, ticket.

blanc, blanche, white.

blanchir, to whiten.

blanchissant, –e, becoming
white.

blé, *m.* wheat, grain.

blesser, to wound, hurt.

blessure, *f.* wound, hurt.

bleu, –e, blue.

bleuté, bluish.

bloquer, to blockade.

blottir (se), to crouch.

bois, *m.* wood, forest.

boîte, *f.* box.

bon, –ne, good, kind.

bonbonnière, *f.* sweetmeat box.

bondir, to bound, jump.

bonheur, *m.* happiness, good
luck.

bonhomme, *m.* good-natured
man; **petit —,** little chap.

bonjour, *m.* good morning,
good day.

bonté, *f.* goodness, kindness.

bord, *m.* edge, bank, shore.

border, to run along.

botte, *f.* boot.

bouche, *f.* mouth.

bouchon, *m.* cork, stopper, wisp.

bouchonner, to rub down.

bouger, to stir, move.

bouleverser, to upset, confuse,
overturn.

bourgeois, *m.* citizen, burgess,
commoner.

bourrasque, *f.* squall, gust.

bout, *m.* end; **venir à —,** succeed.

bout-selle, *m.* signal to saddle.

brancard, *m.* shaft.

branler, to move, shake.

braquer, to turn, point.

bras, *m.* arm.

brave, brave, good, honest.

bravement, bravely, nicely.

bref, in short.

bréviaire, *m.* breviary, prayer-
book.

brillamment, brilliantly.

brillant, –e, bright, brilliant.

briller, to shine, glitter.

brocart, *m.* brocade.

brochure, *f.* pamphlet.

broderie, *f.* embroidery.

broncher, to stir, flinch.

brouillard, *m.* fog, mist.

bruit, *m.* noise, talk, report.

brûlant, –e, hot, burning.

brûler, to burn.

brun, –e, brown, dark.

brunir, to brown, darken.

brusque, sudden, unexpected.

brusquement, suddenly, unex-
pectedly.

brusquerie, *f.* abruptness,
bluntness.

brutal, –e, brutal, rough.

buffet, *m.* sideboard, refresh-
ment room.

bureau, *m.* desk.

C

çà, here.

ca, (*for* **cela**), that.

cabaret, *m.* tavern.

cabinet, *m.* office.

cabriolet, *m.* cab, carriage.

cacher, to hide, conceal.

cadeau, *m.* present, gift.

cadencé, regular, in regular time.

cadre, *m.* frame, list.

café, *m.* coffee.

caisse, *f.* case; **en —,** on hand, in cash.

caisson, *m.* ammunition wagon.

calèche, *f.* carriage.

câlin, -e, fawning, wheedling.

câlinement, caressingly, coaxingly.

câliner, to coax, fondle.

calme, calm, still, quiet.

calme, *m.* calm, stillness.

calmer, to calm, quiet.

calomnier, to slander.

calviniste, Calvinistic.

camarade, *m. f.* comrade, companion.

camaraderie, *f.* companionship, intimacy.

campagne, *f.* country, campaign.

candidat, *m.* candidate.

canon, *m.* cannon.

cantique, *m.* hymn, song.

capacité, *f.* ability, capacity.

capitaine, *m.* captain.

capital, capital, deadly.

car, for.

caractère, *m.* character.

carafe, *f.* decanter, water bottle.

caresser, to caress, cherish.

cargaison, *f.* cargo, load.

carré, *m.* square.

carrière, *f.* career.

carrossier, *m.* carriage maker.

carte, *f.* card, map.

cartel, *m.* clock.

cas, *m.* case, event; **en tout —,** at any rate.

caserner, to quarter.

casser, to break, wear out.

cataloguer, to catalogue.

catholique, Catholic.

cause, *f.* case, cause; **à — de,** because of, on account of.

causer, to cause.

causer, to talk, chat.

cavalerie, *f.* cavalry.

cavalier, *m.* rider, horseman.

ce, cet, cette, *pl.* **ces,** this, these; that, those.

ceci, this.

céder, to give up, yield.

cela, that.

celui, celle, *pl.* **ceux, celles,** he, she, they, that, those.

celui-ci, *m.* this, this one, the latter.

celui-là, *m.* that, that one, the former.

cent, hundred.

centaine, *f.* hundred.

centime, *m.* hundredth part of a franc.

cependant, yet, nevertheless, meanwhile.

cerceau, *m.* ring, hoop.

cercle, *m.* circle, company.

cercler, to encircle, bind.

cercueil, *m.* coffin.

certainement, certainly.

certitude, *f.* certainty.

cerveau, *m.* brain.

cesse, *f.* ceasing, stopping.

cesser, to cease, stop.

chacun, –e, each.

chagrin, *m.* sorrow, trouble, grief.

chagrin, –e, sad, gloomy.

chagriner, to grieve.

chaîne, *f.* chain.

chaise, *f.* chair.

châle, *m.* shawl.

chaleur, *f.* heat.

chambre, *f.* room.

champ, *m.* field.

chance, *f.* chance, luck, good fortune.

changement, *m.* change.

changer, to change.

chanson, *f.* song.

chant, *m.* song, strain, melody.

chanter, to sing; sound.

chantre, *m.* singer.

chapeau, *m.* hat.

chapelle, *f.* church, chapel.

chaque, each, every.

charbon, *m.* coal.

charger, to entrust, charge, load; **se —,** take charge.

charité, *f.* charity; **faire la —,** to give alms.

charmant, –e, charming, pleasant.

charme, *m.* charm.

charrette, *f.* cart, cartload.

chasse, *f.* chase, hunt.

chasser, to chase, hunt, drive.

chat, *m.* cat.

château, *m.* countryseat, country house.

châtelaine, *f.* mistress (of a château).

chaud, –e, warm, hot.

chaumière, *f.* cottage.

chaussée, *f.* road.

chef, *m.* chief cook.

chemin, *m.* road, path, way; **— de fer,** railway.

cheminée, *f.* chimney, fireplace.

chêne, *m.* oak.

cher, chère, dear, beloved.

chercher, to seek, look for, search.

chère, *f.* cheer, fare, entertainment.

chérie, dear, darling, pet.

cheval, *m.* horse; **à —,** on horseback.

chevaleresque, chivalrous.

chevelure, *f.* hair.

chevet, *m.* pillow, bedside.

cheveu, *m.* hair.

chez, at, with, at the house of, among, to, in; **— lui,** at (his) home; **— elles,** at home.

chicorée, *f.* chicory; **petite —,** endive.

chiffre, *m.* figure, amount, monogram.

chirurgien, *m.* surgeon; **—-major,** chief surgeon.

chœur, *m.* choir, chorus.

choisir, to choose, select.

chose, *f.* thing, affair.

choyer, to pet.

chronique, *f.* chronicle, history.

chut, hush!

cidre, *m.* cider.

ciel, *m.* sky, heaven.

cigare, *m.* cigar.

cime, *f.* top, summit.

cimetière, *m.* cemetery, church-yard.

cingler, to lash, strike.

cinq, five.

cinquantaine, *f.* fifty.

cinquante, fifty.

cinquième, fifth.

circonstance, *f.* circumstance; **de —,** appropriate.

circuler, to circulate, spread.

cirque, *m.* circus.

clair, -e, clear, bright.

clairement, clearly, distinctly.

claire-voie, *f.* opening; **à —,** latticework.

clameur, *f.* clamor, outcry.

clarté, *f.* clearness.

classement, *m.* classification, classing.

classer, to classify.

clef, *f.* key.

clerc, *m.* scholar.

client, -e, customer.

clientèle, *f.* clients, patrons.

clos, -e, shut, closed, enclosed.

clouer, to fix, confine, detain.

cocarde, *f.* cockade; **en —,** like a plume.

cocher, *m.* coachman.

cœur, *m.* heart; **de bon —, de tout son —,** heartily, cordially; gladly.

coin, *m.* corner.

collier, *m.* collar.

colonie, *f.* colony.

colonne, *f.* column.

colossalement, enormously, excessively.

combien, how much?

combinaison, *f.* combination, scheme.

comble, *m.* height, attic.

combler, to load, overwhelm.

commandement, *m.* command.

commander, to command.

comme, as, so, like, how, as if.

commencer, to commence, begin.

comment, how, what!

commun, -e, common, ordinary, mutual.

commune, *f.* parish, commune.

communiquer, to communicate.

communs, *m.* outbuildings.

compagne, *f.* companion.

compagnie, *f.* company.

comparaison, *f.* comparison.

comparer, to compare.

compatissant, -e, kind, compassionate.

compétiteur, *m.* rival, competitor.

complaisamment, complacently.

complaisance, *f.* kindness.

complet, complète, complete, full, perfect.

complètement, completely, perfectly.

compléter, to complete, finish.

compliqué, complicated, mixed.

complot, *m.* plot, conspiracy.

composer, to compose.

comprendre, to understand, comprehend.

compromis, –e, compromised, endangered.

comptabilité, *f.* account.

compte, *m.* account, calculation; **se rendre —,** to take into account.

compter, to count, reckon, intend, expect; **ne — pas avec,** not to spare.

comte, *m.* count.

comtesse, *f.* countess.

conclure, to conclude, infer.

concours, *m.* meeting, competition.

concurrence, *f.* competition, opposition.

condamner, to condemn.

conducteur, *m.* driver.

conduire, to conduct, drive, lead.

conduite, *f.* conduct, behavior.

confesse, *f.* confession.

confiance, *f.* confidence, trust.

confiant, –e, confidential, frank.

confident, *m.* confidant.

● **confondre,** to confound, confuse, blend.

conformer (se), to conform, comply with.

confrérie, *f.* brotherhood, company.

confus, –e, ashamed, abashed, confused.

confusément, confusedly.

congé, *m.* leave, dismissal.

congédier, to dismiss.

conjurer, to implore, entreat, conjure.

connaître, to know.

conquérir, to conquer.

conquête, *f.* conquest, victory.

consacrer, to consecrate, bless, devote.

conseil, *m.* counsel, advice, council.

consentement, *m.* consent.

consentir, to consent, agree.

considérer, to consider.

consommé, *m.* soup.

conspirer, to conspire, plot.

consterner, to amaze, astound.

constituer, to constitute.

consulter, to consult.

conte, *m.* story, tale.

contenance, *f.* countenance, extent.

contenir, to contain, hold.

content, –e, pleased, glad.

contestation, *f.* contest, dispute.

continuer, to continue.

contraindre, to compel, control.

contrainte, *f.* constraint, check.

contraire, contrary, opposite.

contrarier, to vex.

contrat, *m.* contract.

contre, against.

contretemps, *m.* disappointment, mischance.

convenir, to suit, agree, fit, become.

coquet, –te, coquettish.

corbeille, *f.* basket.

cordial, –e, sincere, cordial.

cordialement, sincerely, heartily.

corps, *m.* body.

correctement, correctly.

correction, *f.* correction, correctness.

corriger, to correct.

corsage, *m.* waist, bodice, corsage.

costume, *m.* costume, dress.

côte, *f.* side.

côté, *m.* side, direction; **à — de,** close by; **à ses —s,** at her side.

cou, *m.* neck.

couchant, *m.* setting.

coucher, to put to bed, lay; **se —,** go to bed.

couchette, *f.* bedstead.

coude, *m.* elbow, bend, angle.

couleur, *f.* color.

couloir, *m.* hall, passage, corridor.

coup, *m.* blow, stroke; **d'un seul —,** suddenly; **tout d'un —,** at once, all at once; **du premier —,** at the very beginning.

coupable, guilty, culpable.

coupé, *m.* compartment; coupé (*closed carriage for two*).

couper, to cut.

cour, *f.* court, courtyard; **faire la — à,** to court.

courageusement, boldly, courageously.

courageu-x, –se, bold, courageous.

courant, *m.* current, stream; **au —,** well-informed, acquainted.

courir, to run.

couronne, *f.* crown.

cours, *m.* course, current, stream; **faire un —,** to give a course of lectures.

course, *f.* race, chase, excursion, journey.

court, –e, short, brief.

coussin, *m.* cushion.

couteau, *m.* knife.

coûter, to cost.

coutume, *f.* custom, habit.

couture, *f.* seam.

couvert, *m.* cover, place at table, table cover.

craindre, to fear.

crainte, *f.* fear.

crânerie, *f.* dash, style.

créance, *f.* debt.

crème, *f.* cream, custard.

créneler, to notch, indent, make loopholes in.

crête, *f.* top, crest.

crever, to burst, break, tear.

cri, *m.* cry.

criard, –e, gaudy, showy, glaring.

criée, *f.* auction.

crier, to cry, shout.

criminel, *m.* criminal, culprit.

crise, *f.* crisis, paroxysm.

croire, to believe.

croquis, *m.* sketch, outline.

cruauté, *f.* cruelty.

cruel, –le, cruel, harsh, hardhearted.

cruellement, cruelly, harshly, pitilessly.

cueillir, to pick, gather, collect.

cuisine, *f.* kitchen.

cuisinier, *m.,* **cuisinière,** *f.* cook.

cultivateur, *m.* agriculturist, grower.

cure, *f.* parish.

curieusement, curiously.

curieu-x, -se, curious.

D

daigner, to deign, condescend.

daim, *m.* deer, buck.

dame, *f.* lady.

danger, *m.* danger.

dans, in.

danse, *f.* dance.

danser, to dance.

danseuse, *f.* dancer.

dater, to date, reckon.

de, of, from, by, with, in, on, for.

débâcle, *f.* downfall, ruin.

débarquer, to land.

débarrasser, to disentangle; **se — de,** get rid of.

débattre, to debate, stand for; **se —,** struggle.

déborder, to overflow, run over.

debout, standing, upright.

débrider, to unbridle.

début, *m.* beginning, first appearance.

débuter, to make one's first appearance.

déchirer, to tear up, wound.

décidément, decidedly, positively.

décider (se), to make up one's mind, decide.

décisi-f, -ve, decisive, conclusive.

déclarer, to declare.

décourager, to discourage; **se —,** be discouraged.

découvert, -e, open, uncovered.

découvrir, to discover, uncover.

décrocher, to unhook, unfasten.

dedans, inside, within.

déesse, *f.* goddess.

défaire (se), to undo, come down, get rid of.

défaut, *m.* defect, fault.

défilé, *m.* departure, filing off, defiling.

défiler, to march past.

défini, -e, definite.

dégager, to free, show, disengage.

degré, *m.* degree, extent.

dehors, out, out of doors; **au —,** outside.

déjà, already.

déjeuner, *m.* breakfast, lunch.

déjeuner, to breakfast, lunch.

delà, beyond; **au —,** beyond.

délicat, -e, delicate, graceful.

délicatement, gracefully.

délicieusement, charmingly, delightfully.

délicieu-x, -se, delightful, charming.

délire, *m.* delirium.

demain, to-morrow.

demande, *f.* request.

demander, to ask, request, beg.

démarche, *f.* walk, gait, bearing.

déménagement, *m.* removal, moving.

démentir, to deny, contradict.

démesuré, -e, extravagant, excessive.

demeurer, to live, dwell.

demi, -e, half.

demi-sommeil, *m.* doze, slumber.

demoiselle, *f.* young lady.

dénicher, to discover, find out.

dénoncer, to report, inform against.

dentelle, *f.* lace.

dentiste, *m.* dentist.

départ, *m.* departure.

dépasser, to surpass, excel.

dépêche, *f.* despatch, message.

dépendance, *f.* belongings, dependence.

dépense, *f.* expense, outlay.

dépenser, to spend.

dépensier, extravagant.

dépité, vexed, angered.

déplacer, to displace; se —, change position.

déplaire, to displease, offend.

déployer, to spread, deploy, stretch.

déposer, to deposit, lay down.

depuis, since, for.

député, *m.* deputy, member of the Chamber.

déraisonnable, unreasonable, enormous.

déranger, to disturb, derange, inconvenience.

dernier, dernière, last.

dérober (se), to avoid, shun.

derrière, behind; par —, behind.

dès, from; — que, as soon as, when.

désastre, *m.* disaster.

désastreu-x, -se, disastrous.

descendre, to come down, alight, descend.

désenchantement, *m.* disillusion, disappointment.

désespéré, desperate.

désespérer, to drive to despair, vex, torment.

désespoir, *m.* despair, desperation.

déshabiller, to undress.

désigner, to designate, point to, appoint.

désir, *m.* desire, wish.

désirer, to desire, wish.

désœuvré, unemployed, idle.

désolé, grieved, afflicted. [lute.

désordonné, disorderly, disso-

désordre, *m.* disorder, confusion.

desseller, to unsaddle.

dessin, *m.* sketch, drawing.

dessiner, to sketch, draw.

destinée, *f.* destiny, career.

destiner (se), to be destined, be intended. [aration.

détachement, *m.* freedom, sep-

détacher (se), to start, stand out.

détail, *m.* detail, trifle.

déterrer, to unearth, discover.

détirer, to stretch.

détour, *m.* winding, turning.

détourner, to turn aside.

dette, *f.* debt.

deux, two.

deuxième, second.

devant, before, in front of.

devenir, to become.

deviner, to guess.

devoir, *m.* duty.

devoir, to owe, must, ought, be obliged.

dévorer, to devour, squander.

dévoué, attentive.

dévouement, *m.* devotion.

diable, *m.* devil, fellow.

diamant, *m.* diamond.

Dieu, *m.* God.

difficile, difficult, hard.

difficilement, with difficulty.

digne, worthy, dignified.

dimanche, *m.* Sunday.

diminuer, to diminish, decrease.

dîner, *m.* dinner.

dîner, to dine.

dînette, *f.* little dinner.

dire, to say, tell.

directement, directly.

directrice, *f.* mistress.

diriger (se), to start, go.

discours, *m.* speech, talk.

discr-et, –ète, discreet.

discutable, debatable, disputable.

discuter, to discuss, bargain, trifle.

disparaître, to disappear.

disposer, to dispose, prepare.

disputer, to dispute, contend.

dissiper, to scatter, dissipate.

distinctement, distinctly, clearly.

distingué, –e, distinguished, eminent.

distinguer, to distinguish, separate.

distraire, to divert, distract.

distribuer, to distribute.

divan, *m.* sofa, divan.

diviser, to divide.

dix, ten.

dix-huit, eighteen.

dizaine, *f.* ten or so.

docilement, quietly, calmly.

domaine, *m.* estate.

domestique, *m. f.* servant.

donc, then, therefore.

donner, to give.

dont, whose, of which.

doré, –e, gilt, golden.

dormir, to sleep.

dos, *m.* back.

dot, *f.* dowry, marriage portion.

doter, to give a marriage portion.

doucement, softly, gently, sweetly.

douceur, *f.* kindness, gentleness.

douleur, *f.* grief, sorrow.

douloureusement, painfully.

douloureu-x, –se, painful, sorrowful.

doute, *m.* doubt.

douter, to doubt; **se —,** suspect.

douteu-x, –se, doubtful.

doux, douce, sweet, soft, gentle, mild.

douze, twelve.

drapeau, *m.* flag.

dresser, to straighten; **se —,** stand up.

dressoir, *m.* dresser, sideboard.

droit, –e, straight. right.

droit, *m.* right.

droite, *f.* right hand, right side.

droiture, *f.* honesty, integrity.

drôle, funny, strange.

dû, due, *p.p. of* devoir.

duc, *m.* duke, phaeton.

duquel, of which, of whom, whose.

durée, *f.* duration.

durement, harshly, hardly, roughly.

durer, to last.

E

eau, *f.* water.

ébahi, –e, wondering, staring.

ébahissement, *m.* astonishment.

éblouissant, –e, dazzling.

ébranler, to shake, disturb, move off.

écart, *m.* aside; **à l'—,** aside, apart.

écarter, to remove; **s'—,** go away.

échapper, to escape.

échelle, *f.* ladder.

éclair, *m.* flash of lightning.

éclairer, to light up.

éclat, *m.* glitter, brightness, noise, glory.

éclatant, –e, bright, dazzling.

éclater, to burst out, break out, shine, begin.

école, *f.* school.

écolier, *m.* schoolboy.

économe, saving, economical.

écossais, –e, Scotch.

écouler (s'), to pass away, elapse, flow away.

écouter, to listen, hear, pay attention.

écraser, to crush, overwhelm.

écrier (s'), to exclaim, cry out.

écrire, to write.

écrouler (s'), to fall down, fall to pieces.

écurie, *f.* stable.

écuyère, *f.* horsewoman, circusrider.

effacer, to efface, blot out.

effaré, –e, frightened, terrified.

effet, *m.* effect; **en —,** in fact.

efforcer (s'), to try, endeavor.

effrayer, to frighten.

effroi, *m.* fear, fright.

effroyable, frightful.

égal, –e, equal, like.

également, equally, likewise.

égard, *m.* respect, regard.

église, *f.* church.

égoïste, egotist.

égrener, to shell.

élan, *m.* burst, outburst, impulse.

élève, *m. f.* pupil.

élever, to raise, lift up; **s'—,** rise.

éloigner to remove; **s'—,** go away.

embarquer (s'), to embark.

embarras, *m.* embarrassment, blockade.

embarrasser, to embarrass, puzzle.

embrasser, to kiss, embrace.

embrouiller, to confuse; **s'—,** become confused *or* perplexed.

émerger, to emerge.

émigré, *m.* emigrant.

emmener, to take away.

émoi, *m.* emotion, flutter.

emparer (s'), to take possession, seize.

empêcher, to hinder, prevent.

empêtrer, to embarrass.

emploi, *m.* employment.

emporter, to carry away, take away; **s'—,** get angry.

empressé, –e, eager.

empresser (s'), to hasten.

emprunt, *m.* loan.

ému, –e, moved, affected.

en, *prep.* in, like.

en, *pron.* of *or* from it, them, *etc.*

encadrement, *m.* frame.

enchantement, *m.* enchantment.

enchanter, to charm.

enchère, *f.* bid.

enchevêtrer (s'), to get entangled, become confused.

encombrer, to fill, encumber.

encore, yet, still, again, too.

encre, *f.* ink.

endormi, –e, asleep, sleeping.

endormir, to put to sleep; **s'—** fall asleep.

endroit, *m.* place.

endurcir (s'), to harden, become inured.

énergique, energetic, forcible.

enfance, *f.* childhood, infancy.

enfant, *m. f.* child.

enfantillage, *m.* childishness.

enfantin, –e, childish.

enfer, *m.* hell, perdition.

enfermer, to shut, enclose.

enfin, in short, finally, however.

enfouir, to thrust, hide, bury.

enfuir (s'), to run away.

engager, to engage, involve; **s'—,** enlist, begin.

engouffrer (s'), to rush.

engourdir (s'), to become sleepy.

engourdissement, *m.* numbness, torpor, doze.

enjoué, –e, lively.

enjouement, liveliness, playfulness.

enlever, to carry off, take away, remove.

ennui, *m.* weariness, tedium.

ennuyer, to weary, annoy.

énorme, huge, large, enormous.

énormément, enormously.

enrhumer (s'), to catch cold.

enrichir, to enrich.

ensemble, together.

ensoleillé, bright, sunny.

ensommeillé, –e, sleepy.

ensuite, afterwards, then, next.

entamer, to begin.

entassement, *m.* heap, pile.

entasser, to heap up, pack, accumulate.

entendre, to hear, understand; **s'—,** agree, get on.

entendu, –e, intelligent, knowing, understood; **bien —,** of course.

enterrement, *m.* burial.

enthousiasme, *m.* enthusiasm.

enthousiaste, *m.* enthusiast.

entier, entière, entire, whole.

entièrement, entirely, wholly.

entourer, to surround, enclose.

entr'acte, *m.* pause between acts.

entraîner, to draw, hurry away.

entre, between, in.

entrée, *f.* entrance.

entrer, to enter.

entretien, *m.* maintenance, interview, conversation.

entrevoir, to catch a glimpse of, foresee.

entrevue, *f.* interview, meeting.

entr'ouvrir, to half open.

envahir, to invade.

envelopper, to envelop, surround, wrap up.

enverra, *fut. of* **envoyer.**

envie, *f.* wish, desire.

environs, *m. pl.* neighborhood, vicinity.

envoyer, to send.

épanouir (s'), to expand, bloom; **épanoui,** beaming.

épargner, to save.

épars, –e, sparse, scattered.

épaule, *f.* shoulder.

éperdu, –e, bewildered.

éperon, *m.* spur.

épi, *m.* ear of grain.

épiscopal, of the bishop.

éplucher, to pluck.

époque, *f.* epoch, time.

épouser, to marry.

épouvantable, frightful, dreadful.

épouvante, *f.* fear, terror.

épouvanter, to frighten, terrify.

épreuve, *f.* proof, test.

éprouver, to feel, experience.

épuiser, to exhaust.

équipement, *m.* equipment, outfit.

erreur, *f.* error, mistake.

escalier, *m.* staircase, stairs.

escarpé, steep, rugged.

espace, *m.* space.

Espagnol, –e, Spaniard.

espagnol, Spanish.

espérance, *f.* hope.

espérer, to hope, expect.

espoir, *m.* hope.

esprit, *m.* mind, intellect.

esquiver (s'), to escape, slip away.

essayer, to try, attempt.

essentiel, –le, essential, necessary.

estafilade, *f.* cut, scratch.

estime, *f.* esteem, regard.

estomac, *m.* stomach.

établir (s'), to settle.

étage, *m.* story, floor.

étaler, to display, spread out.

étape, *f.* day's march, stage.

état, *m.* state, condition; **état-major,** staff.

éteindre, to extinguish; **s'—,** go out, die away.

étendre, to extend, stretch, spread.

étendue, *f.* extent, expanse.

éternel, –le, eternal, everlasting.

étinceler, to glitter, sparkle, shine.

étoile, *f.* star; **à la belle —,** in the open air.

étole, *f.* stole.

étonné, –e, astonished.

étonnement, *m.* astonishment.

étonner, to astonish, amaze.

étouffer, to choke, suffocate.

étrange, strange.

étranger, *m.* **étrangère,** *f.* stranger, foreigner.

étrang-er, –ère, strange, foreign.

étreinte, *f.* grasp, pressure.

étroit, –e, narrow, close.

étude, *f.* study.

étudier, to study.

étui, *m.* case.

eux, they, them.

évangélique, evangelical.

évanouir (s'), to vanish.

évaporé, –e, giddy, thoughtless.

éveiller, to wake; **s'—,** awake.

événement, *m.* event.

éventualité, *f.* emergency, contingency.

évêque, *m.* bishop.

évidemment, evidently.

éviter, to avoid.

exact, –e, exact, correct.

exactement, exactly, correctly, punctually.

exagérer, to exaggerate.

exaltation, *f.* excitement.

exalter (s'), to become excited.

examen, *m.* examination.

examiner, to examine.

excédent, *m.* surplus.

exceller, to excel.

excessivement, excessively.

exciter, to excite.

excuser, to excuse, pardon.

exécuter, to execute, perform.

exercer, to exercise, exert, practise.

exilé, *m.* exile.

exister, to exist.

expatrier, to expatriate.

expéditionnaire, expeditionary.

expier, to expiate, atone for.

explication, *f.* explanation.

expliquer, to explain.

exquis, –e, exquisite.

F

face, *f.* front.

fâché, –e, sorry.

fâcher (se), to be angry, be sorry.

facile, easy.

facilement, easily.

façon, *f.* way, manner.

faculté, *f.* power, privilege.

faiblesse, *f.* weakness.

faïence, *f.* earthenware.

faillir, to be on the point of, come near.

faim, *f.* hunger.

faire, to do, make; **— attention,** take care.

fait, *m.* act, deed, fact; **tout à —,** quite, entirely.

falloir, to be necessary, be obliged, must, ought.

fameu-x, –se, famous, renowned.

famili-er, –ère, familiar.

familièrement, familiarly.

famille, *f.* family.
fanfare, *f.* flourish, blast.
fantaisie, *f.* fancy, whim.
fantastique, fantastic.
fat, fop, foppish.
fatigué, –e, tired, fatigued.
fatiguer, to tire, fatigue.
faubourg, *m.* suburb.
faufiler (se), to intrude, push.
faut, *pres. ind. of* falloir.
faute, *f.* mistake, fault.
fauteuil, *m.* arm chair.
faux, fausse, false, untrue, wrong.
faveur, *f.* favor.
fée, *f.* fairy.
féerie, *f.* fairyland, fairy scene.
fêlé, –e, cracked, harsh.
femme, *f.* woman, wife; — de chambre, (lady's) maid.
fenêtre, *f.* window.
fer, *m.* iron.
ferme, *f.* farm.
ferme, firm, steady.
fermer, to shut.
fermier, (tenant) farmer.
fermière, *f.* farmer's wife.
ferraille, *f.* old iron.
festin, *m.* feast, banquet.
fête, *f.* festival, holiday, birthday.
feu, *m.* fire.
feuillage, *m.* foliage.
feuille, *f.* leaf.
fier, fière, proud.
fièrement, proudly.
fièvre, *f.* fever.
figure, *f.* face.
figurer, to figure.

fil, *m.* thread, line, edge.
filet, *m.* thread, line.
fille, *f.* girl, maid, daughter.
fillette, *f.* girl, lass.
filleul, *m.* godson.
fils, *m.* son.
fin, *f.* end; prendre —, to end.
financi-er, –ère, financial.
finir, to finish, end.
fixe, fixed.
fixer, to fix, fasten.
flanc, *m.* side, flank.
flatter, to flatter.
fléchir, to bend, move, persuade.
fleur, *f.* flower.
flot, *m.* flood, tide, wave, crowd; cloud (*of dust*).
flotter, to float.
foi, *f.* faith; ma —, upon my word.
foin, *m.* hay.
fois, *f.* time; à la —, at the same time; encore une —, once more.
folie, *f.* folly, madness, craze; faire des —s, to be wild, be extravagant.
folle, *f. of* fou, silly, foolish.
follement, foolishly, madly.
fonction, *f.* duty, office.
fonctionner, to work, get along.
fond, *m.* bottom, depth, background, heart, groundwork.
fonder, to found, establish.
fondre, to melt, burst.
forain, –e, itinerant.
force, *f.* strength; à — de, by dint *or* reason of.

forcer, to force, compel.

forêt, *f.* forest.

forme, *f.* form, crown (*of a hat*).

former, to form.

formule, *f.* formula, form (*of expression*).

fort, –e, strong, severe, hard.

fort, very.

fortement, strongly, forcibly.

forteresse, *f.* fortress, stronghold.

fou, folle, mad, foolish, wild.

foudre, *f.* thunder.

foudroyant, crushing, striking.

fouet, *m.* whip.

fouillis, *m.* mass, cluster.

foule, *f.* crowd, throng.

fourchette, *f.* fork.

fourneau, *m.* stove, range.

fournir, to furnish, provide.

fourrager, to rummage.

fracas, *m.* crash, noise.

frais, fraîche, fresh, cool.

franc, *m.* franc (*a French coin worth about 20 cents*).

franc, franche, frank, free.

français, –e, French.

Français, –e, *m.* Frenchman, *f.* Frenchwoman.

franchement, frankly, freely.

franchise, *f.* frankness, candor.

frapper, to strike.

fraternellement, fraternally.

frayeur, *f.* fright, terror.

frère, *m.* brother.

fricot, *m.* dish.

frissonner, to shiver.

frivole, trifling, frivolous.

froid, *m.* cold.

froid, –e, cold.

front, *m.* forehead.

frontière, *f.* frontier, limit.

fuir, to fly, avoid.

fumer, to smoke.

furieu-x, –se, furious, mad frantic, fierce.

fusillade, *f.* firing.

futaie, *f.* forest.

G

gagner, to gain, win, reach.

gai, –e, gay, merry, lively.

gaiement, gaily, merrily.

gaieté, *f.* gaiety, mirth.

galant, –e, generous, gallant.

galerie, *f.* gallery, corridor.

galon, *m.* lace, braid.

galop, *m.* gallop.

galoper, to gallop.

gamin, *m.* boy, gamin.

gant, *m.* glove.

garantie, *f.* guarantee.

garçon, *m.* boy, bachelor, waiter.

garde, *f.* guard, watch, keeper; **prendre —,** to take care, look out.

garder, to keep.

gare, *f.* station.

garni, –e, furnished.

garnison, *f.* garrison.

gâter, to spoil.

gauche, left.

gauche, *f.* left hand, left side.

gelée, *f.* jelly.

gêne, *f.* discomfort, constraint, embarrassment.

gêner, to obstruct, annoy, impede.

généralement, generally.

généreu-x, –se, generous.

genou, *m.* knee.

gens, people, persons, servants.

gentil, –le, pretty, nice, fine.

gentilhomme, *m.* nobleman.

gentillesse, *f.* prettiness, beauty, grace.

gentiment, prettily, nicely.

geste, *m.* gesture, movement.

gigot, *m.* leg of mutton.

glace, *f.* ice, glass.

glacial, –e, icy, frigid, cold.

glisser, to slip, slide.

gourmandise, *f.* gluttony, greediness.

goût, *m.* taste.

goûter, to taste.

goutte, *f.* drop; gout.

gouvernante, *f.* governess.

gouvernement, *m.* government, management.

grâce, *f.* grace, thanks; **en —,** as a favor.

grand, –e, large, great, tall, long, wide; bright.

grandir, to grow, increase.

grand'mère, *f.* grandmother.

grand-père, *m.* grandfather.

gravement, seriously, gravely.

graver, to engrave.

gré, *m.* will, wish, pleasure.

grêle, *f.* hail.

grelot, *m.* bell.

grille, *f.* grating, gate.

grimpant, –e, climbing.

gris, –e, gray, dull.

griser (se), to become intoxicated.

griserie, *f.* intoxication.

grisette, *f.* shop girl, working girl.

grisonnant, getting gray.

gronder, to scold, reprove.

groom, *m.* page.

gros, –se, large, big.

grossir, to become large, increase.

grouper, to group.

guère; ne . . . —, scarcely.

guérir, to cure, heal.

guerre, *f.* war.

guet, *m.* watch; **faire le —,** to keep watch.

guetter, to watch, wait for.

guide, *m.* guide.

guide, *f.* rein.

guilleret, –te, gay, lively.

H

' indicates aspirate *h*

habile, able, skilful.

habilité, *f.* ability, skill.

habiller, to dress.

habitant, *m.* inhabitant.

habiter, to live in, inhabit.

habitude, *f.* habit, custom.

habitué, *m.* visitor, frequenter.

habituer, to accustom.

'haie, *f.* hedge.

'haïr, to hate.

'halte, *f.* halt, stop.

'hameau, *m.* hamlet.

'hangar, *m.* shed.

'hardi, –e, bold.

'hardiesse, *f.* boldness, fearlessness.

'hardiment, boldly, fearlessly.

harmonium, *m.* cabinet organ.

'harnachement, *m.* harnessing.

'harnais, *m.* harness.

'hasard, *m.* risk, chance, accident; **au —,** at random.

'hasarder, to risk.

'hâte, *f.* haste.

'hâter, to hasten.

'haut, *m.* height, top.

'haut, -e, high, tall.

'hauteur, *f.* height; **— d'appui,** breast-high.

hectare, *m.* hectare (*about 2½ acres*).

herbage, *m.* grass, pasture.

herboriste, *m.* herbalist, dealer in medical herbs.

hérétique, *m.* heretic.

héritage, *m.* inheritance.

héritier, *m.* **héritière,** *f.* heir, heiress.

héroïque, heroic.

heure, *f.* hour, time, o'clock; **tout à l'—,** presently, not long ago, just now; **de bonne —,** early.

heureu-x, -se, happy, fortunate.

'heurter, to knock; **se — à,** come into collision with.

hier, yesterday.

histoire, *f.* story, history.

hiver, *m.* winter.

homme, *m.* man.

'hongrois, Hungarian.

honnête, honest, modest.

honnêtement, honestly, honorably.

honneur, *m.* honor.

horloge, *f.* clock.

horreur, *f.* horror, dread.

horriblement, horribly, dreadfully.

'hors, out.

hôtel, *m.* (city) house, mansion.

huissier, *m.* bailiff, doorkeeper, sheriff's officer.

'huit, eight.

'huitaine, *f.* about eight; **une — de jours,** a week or so.

humblement, humbly.

humeur, *f.* humor, disposition.

humilier, to humble, humiliate.

I

ici, here.

idéal, -e, ideal.

idée, *f.* idea.

illustrer, to illustrate.

image, *f.* picture.

imaginer (s'), to imagine.

immédiatement, immediately.

immobile, motionless, immovable.

impassible, calm, unmoved.

importer, to import, concern, be important.

imposant, -e, imposing.

imposer (s'), to overawe, make a great impression.

imprévu, -e, unexpected, unlooked for.

improviser, to improvise.

inattendu, -e, unexpected.

inavouable, disgraceful.

incertain, -e, uncertain.

incliner, to bow, bend.

indécis, -e, undecided, doubtful.

indicateur, *m.* guide.

indiquer, to indicate, direct.

indiscr-et, –ète, indiscreet.

inépuisable, inexhaustible.

infini, –e, infinite.

ingrat, –e, ungrateful, thankless.

inonder, to flood, inundate.

inqui-et, –ète, restless, anxious.

inquiéter, to disturb, trouble.

inquiétude, *f.* anxiety.

insister, to insist, urge.

installation, *f.* establishment, arrangement.

installer, to install; **s'—,** settle.

instance, *f.* entreaty.

instruit, –e, trained, learned.

intéresser, to interest.

intérêt, *m.* interest.

interrogatoire, *m.* questioning, interview.

interroger, to question, ask.

interrompre, to interrupt, break off.

intervalle, *m.* interval.

intervenir, to intervene, interfere.

intimité, *f.* intimacy.

intrépidement, boldly, fearlessly.

intriguer, to perplex, puzzle.

introduire, to introduce, present, usher.

inusité, –e, unusual.

inutile, useless.

inventer, to invent.

invité, *m.* guest.

inviter, to invite.

irai, *fut. of* **aller.**

ironique, ironical.

irriter, to irritate; **s'—,** be irritated.

italien, Italian.

J

jamais, never, ever.

jambe, *f.* leg.

janvier, *m.* January.

japonais, –e, Japanese.

jardin, *m.* garden.

jardinet, *m.* small garden.

jardinier, *m.* gardener.

jeter, to throw; blow (*a blast*); **se —,** throw oneself; whirl off.

jeu, *m.* game, sport.

jeudi, *m.* Thursday.

jeune, young.

jeunesse, *f.* youth.

joie, *f.* joy.

joli, –e, pretty.

joue, *f.* cheek.

jouer, to play; **se —,** be reflected.

jouir, to enjoy.

joujou, *m.* toy, plaything.

jour, *m.* day.

journal, *m.* newspaper.

journée, *f.* day, day's work.

joyeusement, joyfully, cheerfully.

joyeu-x, –se, joyful, merry.

juge, *m.* judge.

juger, to judge.

juin, *m.* June.

jument, *f.* mare.

jupon, *m.* skirt, petticoat.

jurer, to swear

jusque, to, till, even; — là, up to that time.

juste, correct; au —, exactly.

L

là, there; là-bas, yonder; là-haut, up there; là-dessus, thereupon.

laborieusement, painfully, laboriously.

laborieu-x, –se, industrious.

lâcher, to loose, let go.

laid, –e, ugly.

laine, f. wool.

laisser, to leave, let, allow.

lait, m. milk.

lancer, to hurl, rush, launch.

langage, m. language.

langue, f. tongue, language.

lard, m. bacon.

largement, largely, fully, liberally.

larme, f. tear.

las, –se, tired, wearied.

lasser (se), to tire, grow weary.

leçon, f. lesson.

lecteur, m. lectrice, f. reader.

lég-er, –ère, light, trifling, frivolous.

légèrement, lightly, frivolously.

légitime, just, lawful, justifiable.

lendemain, m. next day.

lent, –e, slow.

lentement, slowly.

lequel, laquelle, pl. lesquels, lesquelles, who, which.

lestement, nimbly, quickly, briskly.

lettre, f. letter.

levantine, from the Levant.

lever, to lift, raise; se —, rise.

lèvre, f. lip.

liaison, f. union.

liberté, f. freedom, ease.

libre, free.

librement, freely.

lieu, m. place; avoir —, to take place.

lieue, f. league.

ligne, f. line.

lilas, m. lilac.

lingot, m. ingot, lump.

lire, to read.

liste, f. list.

lit, m. bed.

livre, m. book.

livrée, f. livery.

livrer, to yield, give up.

location, f. leasing.

loge, f. box.

loger, to lodge, harbor.

logis, m. house.

loin, far (off); au —, in the distance.

lointain, –e, distant, remote.

loisir, m. leisure.

Londres, m. London.

long, –ue, long.

long, m. length; tout le —, all along.

longer, to go along, walk along.

longtemps, a long time, long.

longuement, at length, a long time.

lorgner, to look at (through an opera glass).

lorgnette, f. opera glass.

lors, then.

lorsque, when.

lot, *m.* lot, 'parcel.'

louage, *m.* hire.

louange, *m.* praise.

louer, to let, rent, hire.

louis, *m.* louis (*an old French coin worth about $4.50*).

lourd, –e, dull, heavy.

loyalement, fairly, honestly.

lumière, *f.* light.

lumineu-x, –se, luminous, bright.

lune, *f.* moon.

luthérien, Lutheran.

lutte, *f.* struggle, contest.

lutter, to struggle, contest.

luxe, *m.* splendor, luxury.

M

machinalement, mechanically.

machine, *f.* locomotive.

mademoiselle, *f.* miss.

magistralement, grandly, in grand style.

magnifique, grand, splendid, magnificent.

mai, *m.* May.

main, *f.* hand.

maintenant, now.

maintenir, to maintain, keep up.

maintien, *m.* keeping, retention.

maire, *m.* mayor.

mairesse, *f.* mayor's wife.

mais, but, why.

maison, *f.* house.

maisonnette, *f.* cottage.

maître, *m.* master, teacher, owner.

majeur, of age.

majorité, *m.* coming of age, majority.

mal, ill, wrong, badly.

malade, sick.

maladroit, –e, awkward.

malaise, discomfort, uneasiness.

malgré, in spite of, notwithstanding.

malheur, *m.* misfortune, unhappiness.

malheureu-x, –se, unfortunate, unhappy.

malicieusement, slyly, roguishly.

maman, *f.* mamma.

manger, to eat, squander.

manier, to handle.

manière, *f.* way, manner.

manifestement, manifestly.

manne, *f.* basket.

manœuvre, *f.* drill, parade.

manquer, to lack, be wanting, be without.

manteau, *m.* cloak, mantle.

maraîcher, *m.* market gardener.

marchand, *m.* merchant.

marche, *f.* walk, march, gait, stair.

marché, *m.* market, bargain; **par-dessus le —,** into the bargain.

marcher, to walk, march, go, work.

mari, *m.* husband.

mariage, *m.* marriage.

marier (se), to marry, be married.

marmiton, *m.* kitchen boy.

marqué, -e, marked, evident.

marquise, *f.* marchioness.

marron, maroon, chestnut-colored.

mars, *m.* March.

martyre, *m.* martyrdom.

masse, *f.* mass.

maternel, -le, maternal.

matin, *m.* morning; **de grand —,** early in the morning.

matinée, *f.* morning.

mauvais, -e, bad, wicked.

mécanique, *f.* machine.

méchant, -e, bad, naughty.

mécontent, -e, dissatisfied.

médecin, *m.* doctor, physician.

médiocre, moderate.

meilleur, -e, better.

mélancolie, *f.* sadness, melancholy.

mêler, to mix, mingle.

membre, *m.* member.

même, same, self, even, also; **tout de —,** all the same.

menacer, to threaten.

ménage, *m.* housekeeping; **faire bon —,** live happily together.

ménager, to spare, save.

mendiant, -e, beggar.

mendier, to beg.

mener, to lead, take; **— à quatre,** drive four-in-hand.

mensonge, *m.* lie; **— pieux,** white lie.

mentalement, mentally, silently.

mentir, to lie.

menu, *m.* bill of fare.

méprendre (se), to be mistaken, misunderstand.

mépris, *m.* scorn, contempt.

mer, *f.* sea.

merci, *m.* thanks.

mercredi, *m.* Wednesday.

mère, *f.* mother.

mérite, *m.* merit.

mériter, to deserve.

merveille, *f.* wonder.

merveilleu-x, -se, wonderful, marvelous.

mesdames, *pl. of* **madame.**

messe, *f.* mass.

mesure, *f.* measure; **à — que,** according as.

métier, *m.* trade, business, profession.

mètre, *m.* meter (*1.09 yards*).

mettre, to put, place, wear, put on; **se —,** begin, set about.

meuble, *m.* furniture.

midi, *m.* noon.

mieux, better, more.

mignon, -ne, tiny, delicate.

migraine, *f.* headache.

milieu, *m.* middle, medium, midst, surroundings.

militaire, military, soldier.

mille, thousand.

mince, thin, slender.

mineur, -e, minor, not of age.

ministère, *m.* department.

ministre, *m.* minister.

minuit, *m.* midnight.

miraculeu-x, -se, miraculous, wonderful.

misère, *f.* poverty, trouble, distress, misery.

mobilier, *m.* furniture.

mobiliser, to mobilize.

modérer, to moderate.

moindre, less, least.

moins, less; **au —,** at least.

mois, *m.* month.

moitié, *f.* half.

momentanément, for the present.

mondain, -e, worldly, society.

monde, *m.* world, society, company.

monnaie, *m.* coin, change, money.

monotone, monotonous.

monseigneur, *m.* my lord.

monsieur, *m.* gentleman, sir, Mr.

monstrueu-x, -se, monstrous.

montagne, *f.* mountain.

montée, *f.* ascent.

monter, to go (get) up, ascend, rise, mount; **— à cheval,** ride.

montrer, to show, point out.

moquer (se), to ridicule, laugh at.

morceau, *m.* piece.

morceler, to divide, cut up.

morcellement, *m.* division.

mort, *f.* death.

mort, -e, dead.

mot, *m.* word.

moue, *f.* pout, wry face.

mouillé, wet.

mourir, to die.

mousseline, *f.* muslin.

mouvement, *m.* motion, life, impulse, feeling, stir.

moyen, *m.* means, way.

muet, -te, mute, silent, dumb.

muguet, *m.* lily of the valley.

mule, *f.* slipper.

mur, *m.* wall.

musicien, -ne, *m. f.* musician.

mystère, *m.* mystery.

mystérieu-x, -se, mysterious.

mythologique, mythological.

N

naïf, naïve, simple, artless.

naissance, *f.* birth.

naissant, -e, budding, dawning.

naître, to be born.

naïvement, simply, plainly, candidly.

naïveté, *f.* simplicity, artlessness.

naturel, -le, natural.

né, -e, born; *p.p. of* **naître.**

nécessaire, necessary.

neige, *f.* snow.

nerf, *m.* nerve.

net, -te, clear, plain, short.

neuf, nine.

neuf, neuve, new.

nez, *m.* nose.

ni, neither, nor.

noce, *f.* wedding.

noir, -e, black.

nom, *m.* name.

nombre, *m.* number.

nombreu-x, -se, numerous.

nommer, to name, appoint.

non, no, not.

notaire, *m.* notary.

noter, to note, mark.

nourrir, to feed, support; **se —,** live.

nouveau, –elle, new, different.

nouvelle, *f.* news.

novembre, *m.* November.

noyer, *m.* walnut wood.

nu, –e, bare, naked.

nuage, *m.* cloud.

nuire, to hurt, injure.

nuit, *f.* night, darkness.

nul, –le, no one, nobody.

nullement, not at all, by no means.

numéro, *m.* number.

O

obéir, to obey.

obliger, to oblige, compel.

obsession, *f.* attention, devotion.

obstinément, obstinately, persistently.

obstiner (s'), to persist.

obtenir, to obtain, get.

occasion, *f.* occasion, opportunity.

occuper, to occupy, employ.

œil, *m.* eye; **yeux,** *pl.* eyes.

œuf, *m.* egg.

office, *m.* service, worship.

officier, *m.* officer.

offrande, *f.* offering.

offrir, to offer.

ombre, *f.* shade, shadow.

on, one, we, you, they, people.

ondulant, undulating, wavy.

ondulation, *f.* wave, swing.

onduler, to wave, undulate.

onze, eleven.

onzième, eleventh.

opposer, to oppose.

or, *m.* gold.

oraison, *f.* prayer.

oratoire, *m.* chapel, oratory.

ordinaire, ordinary; **à l'—,** as usual; **d'—,** usually.

ordinairement, usually.

ordre, *m.* order.

oreille, *f.* ear.

organisateur, *m.* organizer, arranger.

organiser, to organize, arrange.

orgue, *m.* organ.

orgueil, *m.* pride.

original, –e, original, odd.

originalité, *f.* originality, oddity.

orphelin, –e, orphan.

orthographe, *f.* spelling.

oser, to dare.

osier, *m.* willow, osier.

ôter, to remove.

ou, or.

où, where, when, in which.

oublier, to forget.

oui, yes.

ouragan, *m.* hurricane, storm.

outre, besides, beyond; **en —,** in addition.

outré, –e, extravagant, extreme.

ouvert, –e, open.

ouvertement, openly, plainly.

ouverture, *f.* opening, openness, plainness.

ouvrier, *m.* workman.

ouvrir, to open.

P

paille, *f.* straw.

pair, *m.* peer.

paisiblement, peacefully.

paix, *f.* peace.

palais, *m.* palace.

palefrenier, *m.* groom; stable man.

palmier, *m.* palm tree.

panégyrique, *m.* praise, panegyric.

papetier, *m.* stationer.

papier, *m.* paper.

paquebot, *m.* steamer.

paquet, *m.* bundle, bunch.

par, by, through; — terre, on *or* to the ground; par-dessus, over, above.

paradis, *m.* paradise.

paraître, to appear, seem.

parallèle, *m.* parallel, comparison.

parapluie, *m.* umbrella.

parc, *m.* park.

parce que, because.

parcourir, to travel over, go over.

par-dessus, above, over.

pardonner, to pardon, forgive.

pareil, –le, like, such.

paresseusement, lazily.

paresseu-x, –se, lazy, idle.

parfait, –e, perfect.

parfaitement, perfectly.

parfum, *m.* perfume.

parier, to bet, wager.

parler, to speak, talk.

parmi, among.

paroissien, –ne, *m. f.* parishioner.

parole, *f.* word, speech; porter la —, to do the talking.

parrain, *m.* godfather.

part, *f.* share, part, portion, side; quelque —, somewhere.

partager, to share, divide.

parti, *m.* match.

participer, to participate.

particuli-er, –ère, peculiar, singular.

particulièrement, especially, particularly.

partie, *f.* part, game; faire —, take part in.

partir, to depart, set out.

partout, everywhere.

parvenu, *m.* upstart.

pas, *m.* step, pace; au —, at a walk.

passé, *m.* past, history.

passer, to pass; se —, happen.

pasteur, *m.* pastor, clergyman, chaplain.

paternellement, paternally.

patienter, to be patient.

pâtisserie, *f.* pastry.

patrie, *f.* native land.

patrimonial, –e, patrimonial, coming from the father.

patte, *f.* foot, paw.

pauvre, poor.

pauvreté, *f.* poverty.

pavé, *m.* pavement, paving-stone.

payement, *m.* payment.

payer, to pay.

pays, *m.* country.

paysan, *m.* peasant, countryman.

peau, *f.* skin, hide.

péché, *m.* sin.

pêcher, to fish.

pêcher, *m.* peach tree.

peignoir, *m.* dressing gown.

peine, *f.* pain, trouble; **à —,** hardly, scarcely.

peinture, *f.* picture.

pelletée, *f.* shovelful.

pencher, to lean, bend.

pendant, during; **— que,** while.

pendre, to hang.

pénétrer, to penetrate, pierce.

péniblement, painfully, laboriously.

pensée, *f.* thought, idea.

penser, to think.

penseur, *m.* thinker.

pension, *f.* pension, allowance.

percer, to pierce, penetrate.

perdre, to lose.

père, *m.* father.

permettre, to permit, allow.

perpétuel, -le, perpetual, endless.

perpétuellement, continually, perpetually,

perplexe, perplexed, embarrassed.

perron, *m.* steps, porch.

persister, to persist, last.

personne, person, nobody.

personnel, -le, personal.

persuader, to persuade, convince.

petit, -e, small, little; **petit-fils,** grandson.

peu, little, few, somewhat; **un —,** rather.

peur, *f.* fear.

peut-être, perhaps.

pharmacie, *f.* pharmacy, dispensary.

pharmacien, -ne, druggist.

photographie, *f.* photograph.

pichet, *m.* jug, pitcher.

pie, *f.* magpie.

pièce, *f.* piece, room; cannon.

pied, *m.* foot, footing; **à —,** on foot.

piège, *m.* snare, trap; **tendre un —,** to lay (set) a trap.

pierre, *f.* stone.

Pierre, *m.* Peter.

piétiner, to stamp.

pieu-x, -se, pious.

pilier, *m.* pillar, column.

pincer, to pinch.

piqueur, *m.* head groom.

pis, worse; **tant —,** so much the worse.

pitié, *f.* pity, compassion.

placarder, to placard, post up.

place, *f.* square.

placement, *m.* investment.

placer, to place, put.

plaindre (se), to complain.

plaine, *f.* plain.

plaire, to please.

plaisanter, to jest, joke.

plaisir, *m.* pleasure.

planter, to place, fix.

plaquer, to lay on, veneer.

plein, -e, full.

pleinement, fully, entirely.

pleurer, to weep, cry.

pleuvoir, to rain, pour in.

plier, to bend; **se —,** yield.

plonger, to plunge, sink.

pluie, *f.* rain.

plume, *f.* pen.

plus, more.

plusieurs, several, many.

plutôt, rather.

pluvieu-x, –se, rainy.

poche, *f.* pocket.

pochette, *f.* pocket.

poignée, *f.* handful, grasp.

poing, *m.* fist, hand.

point, *m.* point, degree, extent; **ne . . . —,** not at all.

pointe, *f.* point, tip.

pointer, to rear.

pointu, –e, pointed.

poirier, *m.* pear tree.

poitrine, *f.* chest; **en pleine —,** squarely in the chest.

polichinelle, *m.* Punch.

polygone, *m.* artillery ground.

pomme, *f.* apple; **— de terre,** potato.

pomponner, to ornament, adorn.

pont, *m.* bridge.

pope, *m.* pope, priest.

porte, *f.* door, gate.

porte-fenêtre, *f.* French window.

porter, to carry, bear, give, wear; **se —,** be.

porteur, *m.* bearer.

portière, *f.* door (*of a carriage*).

poser, to place, lay, put.

positivement, positively.

posséder, to possess.

poste, *f.* post office.

postillon, *m.* coachman, postilion.

poudrer, to powder.

poudreu-x, –se, dusty.

pouf, *m.* ottoman.

poupée, *f.* doll, puppet.

pour, for, in order.

pourquoi, why.

pourtant, yet, still, nevertheless.

pourvu que, provided that, if only, I only hope.

poussière, *f.* dust.

pouvoir, to be able, can.

pouvoir, *m.* power.

prairie, *f.* meadow.

praticien, *m.* practitioner.

pré, *m.* meadow.

précédent, preceding.

précéder, to precede.

précepteur, *m.* tutor.

précipiter (se), to rush, dash.

précis, –e, exact, neat.

précisément, exactly, precisely.

préférer, to prefer.

prélat, *m.* prelate.

prélever, to deduct, take.

premi-er, –ère, first.

prendre, to take, get, seize; **s'y —,** go at it.

préoccupation, *f.* preoccupation, concern.

préparatif, *m.* preparation.

préparer, to prepare.

près, near, close; **à peu —,** nearly, almost.

presbytère, *m.* parsonage.

présenter, to offer, present, introduce.

presque, almost, nearly.

presser, to press, hurry.

prêt, –e, ready.

prétendant, *m.* suitor.

prétendre, to claim.

prétention, *f.* claim, pretension.

prêter, to lend, give.

prêtre, *m.* priest.

preuve, *f.* proof, evidence, test.

prévenir, to inform, warn.

prévoir, to foresee.

prie-dieu, *m.* praying desk.

prier, to pray, beg, ask.

prière, *f.* prayer, entreaty.

prix, *m.* price, cost.

procès, *m.* lawsuit.

prodige, *m.* wonder, marvel.

prodigue, lavish, prodigal.

professeur, *m.* teacher.

profiter, to profit.

profond, –e, profound, deep.

profondément, profoundly, deeply.

profondeur, *f.* depth.

progrès, *m.* progress.

progressivement, gradually.

projet, *m.* plan, project, scheme.

promenade, *f.* walk, ride.

promener, to take, lead; **se —,** walk, go, wander.

promesse, *f.* promise.

promettre, to promise.

prononcer, to pronounce.

propos, *m.* discourse, talk; **à — de,** with regard to, speaking of.

proposer, to propose, offer.

propre, own.

propriétaire, *m. f.* owner, proprietor.

propriété, *f.* property, estate.

protéger, to protect.

provoquer, to provoke, call forth.

prudemment, wisely, prudently.

publier, to publish.

publiquement, publicly.

puis, then, afterwards.

puisque, since.

puissant, –e, powerful.

purgatoire, *m.* purgatory.

Q

quai, *m.* platform.

qualité, *f.* quality, good quality; **en — de,** by way of, as.

quand, when.

quant à, as to, as for.

quarante, forty.

quart, *m.* quarter.

quartier, quarter, quarters, barracks.

quatorze, fourteen.

quatre, four.

que, whom, that, which, what; *adv.* how, than; *conj.* that, when.

quel, –le, what, who.

quelconque, whatsoever, whatever.

quelque, some, any, a few.

quelquefois, sometimes.

quereller (se), to quarrel.

qui, who, whom, which.

quinzaine, *f.* about fifteen.

quinze, fifteen; **— jours,** a fortnight.

quitte, free, clear; **en être — pour . . .,** to be freed from blame by . . .

quitter, to leave, lay aside.

quoi, what, which.

R

rabattre (se), to fall back upon, come down.

raccrocher, to hook up, attach.

racheter, to redeem, buy back.

raconter, to relate, tell.

radieu-x, -sc, bright, happy, radiant.

rafale, *f.* gust, squall.

raide, steep.

rainure, *f.* groove, rut.

raisin, *m.* grapes.

raison, *f.* reason; **parler —,** to talk sense; **avoir —,** be right.

ralentir, to slacken, become slow.

ramasser, to pick up.

ramener, to bring back.

ramoneur, *m.* chimney sweep.

rang, *m.* rank, line, row.

ranger, to arrange, set in order.

rapidement, rapidly, quickly.

rapiécer, to patch.

rappeler, to recall, remember.

rapport, *m.* income, revenue.

rapporter, to bring back, bring away; **se —,** rely on, trust.

rapproché, -e, near, close.

rapprocher (se), to approach, come together.

rarement, seldom, rarely.

rassembler, to collect.

rassurer, to reassure, calm.

ratisser, to rake.

rattacher, to tie, fasten again.

rattraper, to catch, recover.

ravir, to charm, delight.

ravissant, -e, charming, delightful.

rayon, *m.* ray, beam.

réaliser, to realize.

rebelle, rebellious, disobedient.

rebuter, to disgust, shock.

récent, -e, recent, new.

recevoir, to receive.

rechercher, to seek for, look for.

récit, *m.* account, story.

réciter, to recite, say.

réclamer, to demand, ask for.

récolte, *f.* harvest.

recommander, to request, charge.

recommencer, to begin again, recommence.

recompter, to count again.

reconduire, to show out, escort, take home.

reconnaissance, *f.* gratitude, thankfulness.

reconnaissant, -e, grateful, thankful.

reconnaître, to recognize, know.

recoucher, to lie down again.

recouvrir, to cover.

récrier, to cry out, exclaim.

recrue, *f.* recruit.

rectifier, to rectify, put right.

recueilli, –e, pensive, thoughtful.

recueillir, to gather, pick up.

reculer, to retreat, draw back.

redemander, to ask again for.

redevenir, to become again.

redire, to repeat, say again.

redoubler, to redouble, increase.

redoutable, formidable.

redouter, to fear.

redresser, to straighten up.

réduire, to reduce.

réel, real, true.

réellement, really.

refermer (se), to close again.

réfléchi, –e, reflective, deliberate.

réfléchir, to reflect, think.

reflet, *m.* reflection, tints.

refouler, to drive back.

réfugier (se), to take refuge.

refus, *m.* refusal, denial.

refuser, to refuse, decline.

régal, *m.* feast, treat.

régaler, to feast, treat.

regard, *m.* look, glance, attention.

regarder, to look at, concern.

régisseur, *m.* manager, overseer.

règle, *f.* rule.

régler, to settle, decide.

regretter, to regret.

réguli-er, –ère, regular.

régulièrement, regularly.

reine, *f.* queen.

rejeter, to throw back.

reléguer, to banish.

relever, to raise again, rebuild, restore; **se —,** rise up again, rise.

religieusement, religiously.

relire, to read again.

remarquer, to notice, note.

rembourrer, to stuff.

remerciement, *m.* thanks.

remercier, to thank.

remettre, to put back, return, deliver; **se —,** recover.

remise, *f.* carriage house.

remonter, to go up, cheer up.

remplacer, to replace.

remplir, to fill, fulfil.

rencontre, *f.* meeting; **à leur —,** to meet them.

rencontrer, to meet.

rendormir (se), to fall asleep again.

rendre, to give, make, render.

rêne, *f.* rein.

renouer, to tie again.

renseignement, *m.* information; **prendre des —s,** to make inquiries.

rente, *f.* income.

rentrer, to reënter, go in again; **— dans,** recover.

renverser, to upset, throw back.

renvoyer, to send back, dismiss.

répandre, to spread, diffuse.

reparaître, to appear again.

réparer, to repair.

repartir, to start off again.

repasser, to go over, review.

répéter, to repeat.

répliquer, to answer, reply.

répondre, to answer, reply; **je vous en réponds,** you can take my word for it, I assure you.

réponse, *f.* answer, reply.

repos, *m.* rest, pause.

reposer, to rest, lie.

reprendre, to take again, recover, resume.

représentation, *f.* production, performance.

représenter, to represent, present again.

reprises, *f.* times.

reprocher, to reproach.

réserver, to reserve.

résigner, to resign, give up.

résolument, resolutely, boldly.

résoudre, to resolve, decide, settle.

respectueusement, respectfully.

respectueu-x, -se, respectful.

respirer, to breathe, rest.

resplendir, to shine.

resplendissant, -e, glittering, shining.

ressembler, to resemble, be like.

resserrer, to contract, draw together; **se —,** economize, curtail expenses.

ressource, *f.* resource.

reste, *m.* rest, remainder.

rester, to remain.

résultat, *m.* result.

retenir, to retain, keep, remember.

retirer, to withdraw, draw out; **se —,** retire.

retomber, to fall again, relapse.

retour, *m.* return.

retourner, to return, go back, turn inside out.

retraite, *f.* retirement; **colonel en —,** retired colonel.

retrouver, to find again; **se —,** be oneself again.

réunir, to unite, assemble, collect.

réussir, to succeed.

revanche, *f.* revenge, return; **en —,** on the other hand.

rêve, *m.* dream.

réveiller, to wake, rouse.

revenir, to come back, return, recover.

revenu, *m.* income.

rêver, to dream, desire.

rêverie, *f.* revery.

revêtir, to put on.

revivre, to live again.

revoir, to see again.

revue, *f.* review, examination.

rez-de-chaussée, *m.* ground floor.

riant, -e, smiling, cheerful, pleasant.

riche, rich.

ride, *f.* wrinkle.

ridé, -e, wrinkled.

rideau, *m.* curtain.

ridicule, ridiculous.

rien, *m.* nothing; **— que,** only.

rigueur, *f.* rigor; **à la —,** at a pinch; **de —,** indispensable.

rire, to laugh.

rire, *m.* laughter.

rivière, *f.* river.
robe, dress, gown.
rocailleu-x, **–se**, rough, strong.
rocher, *m.* rock.
roi, *m.* king.
romaine, *f.* lettuce.
roman, *m.* novel, romance, tale.
romancier, *m.* novelist.
rond, **–e**, round.
ronde, *f.* round, dance.   [rode.
ronger, to gnaw, waste, cor-
rosier, *m.* rose bush.
roue, *f.* wheel.
rouge, red.
rougir, to blush.
rouleau, *m.* roll.
roulement, *m.* rolling.
rouler, to roll.
roulette, *f.* roller, wheel.
route, *f.* road, way; **grande —**,
   highway.
rubis, *m.* ruby.
rue, *f.* street.
ruiner, to ruin.
russe, Russian.

S

sable, *m.* sand, gravel.
sabler, to sand, gravel.
sabot, *m.* wooden shoe, slipper.
sabre, *m.* sword.
sac, *m.* bag, sack.
sacristie, *f.* vestry room, sac-
   risty.
sage, good, well-behaved.
sagement, wisely.
sagesse, *f.* wisdom, prudence.
salade, *f.* salad.
saladier, *m.* salad bowl.

salle, *f.* hall, room; **— à manger**, dining room.
salon, *m.* drawing-room, parlor.
saltimbanque, *m.* juggler,
   mountebank.
saluer, to salute, greet, bow to.
salut, *m.* safety, salvation; salute, bow.
samedi, *m.* Saturday.
sang, *m.* blood.
sang-froid, *m.* coolness, com-
   posure.
sanglot, *m.* sob.
sans, without.
sauter, to jump, leap.
sauver (se), to escape, run
   away.
savant, **–e**, skilful, artistic.
savoir, to know, be able.
scène, *f.* scene, stage.
sec, sèche, dry, cold, unfeeling.
secourable, kind, helpful.
secours, *m.* help, relief.
secrètement, secretly.
séduisant, **–e**, seductive, be-
   witching, charming.
seigneur, *m.* lord, noble.
selle, *f.* saddle.
sellier, *m.* saddler.
selon, according to.
semaine, *f.* week.
semblable, like, such.
sembler, to seem, appear.
semonce, *f.* rebuke, reprimand.
sens, *m.* direction.
sentiment, *m.* feeling, sensation.
sentir, to feel, perceive; **se —**,
   feel.

séparer, to separate.

sept, seven.

sergent, *m.* sergeant.

sérieusement, seriously.

sérieu-x, -se, serious, earnest, real.

serpent, *m.* snake.

serre, *f.* greenhouse, conservatory.

serré, -e, close.

serrer, to press, grasp, put away.

serrure, *f.* lock.

service, *m.* favor, (military) service.

servir, to serve; **se — de,** make use of.

seuil, *m.* threshold.

seul, -e, one, alone, single, only; **— à —,** alone.

seulement, only, but, merely.

si, *conj.* if, whether; *adv.* so, so much.

siècle, *m.* century.

siège, *m.* seat, coach box.

siffler, to whistle.

signe, *m.* sign.

signer, to sign.

silencieusement, silently.

silencieu-x, -se, silent, still.

silhouette, *f.* profile, silhouette.

sillon, *m.* furrow, track.

simplement, simply.

singuli-er, -ère, singular, peculiar.

singulièrement, singularly, peculiarly.

sœur, *f.* sister.

soie, *f.* silk.

soif, *f.* thirst.

soigner, to take care of, attend to.

soin, *m.* care.

soir, *m.* evening.

soirée, *f.* evening, evening party.

soixante, sixty.

soldat, *m.* soldier.

soleil, *m.* sun.

solennel, -le, solemn.

solicitor (*English*), *m.* lawyer.

solliciter, to ask for, solicit.

sombre, dark, melancholy, sad.

somme, *f.* sum; **en —,** finally, in short.

sommeil, *m.* sleep.

sommeiller, to doze, slumber.

somnolence, *f.* sleepiness.

somptueu-x, -se, sumptuous, elegant.

son, *m.* sound.

songer, to think.

songeu-r, -se, thoughtful.

sonner, to sound, strike.

sonnerie, *f.* sound, call.

sonorité, *f.* sound, ring, sonorousness.

sort, *m.* fate, lot; **tirer au —,** to draw lots.

sorte, *f.* sort, kind; **de la —,** in that manner; **de — que,** so that.

sortie, *f,* leaving, coming out.

sortir, to go out, come out.

sot, -te, stupid, silly, foolish.

sottement, stupidly, foolishly.

sou, *m.* cent.

souci, *m.* care.

soucieu-x, –se, anxious, full of care.

soudain, –e, sudden.

soudainement, suddenly.

soudaineté, *f.* suddenness.

souffler, to blow.

souffrance, *f.* suffering, misery.

souffrant, –e, suffering, ill.

souffrir, to suffer.

souhaiter, to wish.

soulever, to raise, lift up.

soulier, *m.* shoe.

soupçon, *m.* suspicion.

soupe, *f.* soup.

souper, to sup, take supper.

souper, *m.* supper.

souple, supple, pliant, yielding.

souplesse, *f.* suppleness.

souriant, smiling.

sourire, to smile.

sourire, *m.* smile.

sous, under, beneath.

sous-lieutenant, *m.* second lieutenant.

sous-officier, *m.* non-commissioned officer.

soutane, *f.* cassock.

soutenir, to support, keep up.

souvenir, *m.* memory, recollection.

souvenir (se), to remember.

souvent, often.

spirituel, –le, witty, intelligent.

stupéfait, –e, astonished, shocked.

stupeur, *f.* stupor, astonishment.

su, *p.p. of* **savoir.**

subir, to undergo, yield to.

succéder, to succeed, follow.

succès, *m.* success.

sucre, *m.* sugar.

Suède, Sweden.

suffire, to suffice, be enough.

suffoquer, to suffocate, stifle.

suite, *f.* rest, sequel; **tout de —,** at once.

suivre, to follow.

sujet, *m.* subject.

superficiel, –le, superficial.

supplier, to beg, entreat.

supporter, to endure, support.

sur, on, upon.

sûr, –e, sure, certain.

surenchère, *f.* higher bid.

surplis, *m.* surplice.

surprenant, –e, surprising.

surprendre, to surprise.

sursaut, *m.* start; **en —,** with a start.

surtout, especially, above all.

surveiller, to inspect, superintend.

T

tableau, *m,* picture, scene.

tablier, *m.* apron.

tabouret, *m.* stool.

tâcher, to try, endeavor.

taille, *f.* size, figure, waist, height; **sans —,** loose-fitting.

taire (se), to be silent.

talon, *m.* heel.

tamponner, to wrap.

tandis que, while, whereas.

tant, so much, so many, so long.

tante, *f.* aunt.

tantôt, presently; **—** ... now ... now.

tapage, *m.* noise, uproar.

tapageur, *m.* loud, gaudy, flashy.

tapisserie, *f.* tapestry, upholstery.

tapissier, *m.* upholsterer.

tard, late.

tas, *m.* number, crowd, pile.

tasse, *f.* cup.

tel, –le, such (and such a).

télégraphier, to telegraph.

tellement, so much, so.

témoin, *m.* witness.

tempe, *f.* temple.

tempête, *f.* storm, tempest.

temps, *m.* time, weather.

tendre, tender.

tendrement, tenderly, affectionately.

tendresse, *f.* affection, love, fondness.

tenir, to hold, keep, take; **— à,** insist on; **se – –,** be seated; **tenez,** hold! see here! why! **tiens,** hold.

tenter, to try, tempt.

terminer, to finish.

terrain, *m.* ground, land.

terrasse, *f.* terrace.

terre, *f.* land, earth, estate.

tête, *f.* head; **en — à —,** alone.

thé, *m.* tea.

thésaurier, to hoard, treasure up.

tilleul, *m.* linden tree.

tirade, *f.* speech.

tiraillement, *m.* twinge, twitching.

tirer, to draw, pull, fire; **se — d'affaire,** get along.

tiroir, *m.* drawer.

toiture, *f.* roof.

tombe, *f.* tomb, grave.

tomber, to fall.

torrentiel, –le, pouring.

tort, *m.* wrong; **avoir —,** to do (be) wrong.

tôt, soon.

touchant, –e, touching, affecting.

toucher, to touch.

toujours, always.

tour, *f.* tower.

tour, *m.* turn, journey, circuit.

tourbillon, *m.* whirlwind, whirlpool.

tourbillonner, to whirl, dance, turn.

tourment, *m.* grief, trouble.

tourmenter, to torment, torture.

tournée, *f.* visit, journey, round.

tourner, to turn.

tournoyer, to turn, wheel.

tournure, *f.* figure, shape.

tout, –e, all, whole, quite, every, everything; **pas du —,** not at all; **— à fait,** wholly, exactly.

traduire, to translate.

tragique, tragic; **au —,** tragically.

tragiquement, tragically, seriously.

train, *m.* pace, way, train, manner, style; **en —,** in the act.

traîner, to draw, drag, lie, trail.

trait, *m.* feature.

traiter, to treat.

tramer, to weave, contrive.

tranquille, quiet, calm, tranquil.

tranquillement, quietly, calmly, tranquilly.

transformer, to transform, change.

transiger, to compromise.

transmettre, to transmit, transfer.

transporter, to transport; **se —,** go, repair.

travail, *m.* work, labor; essay, treatise.

travailler, to work, labor.

travailleur, *m.* worker.

travers, *m.* breadth; **à —,** through, across; **de —,** wrong.

traverse, *f.* crossbeam; **à la —,** in the way.

traversée, *f.* crossing, passing through.

traverser, to cross, go through.

treille, *f.* arbor.

treize, thirteen.

tremblement, *m.* trembling, tremor.

trembler, to tremble.

trente, thirty.

très, very.

trésor, *m.* treasure.

trésorière, *f.* treasurer.

tribunal, *m.* court.

tribune, *f.* gallery.

tricherie, *f.* deception.

triomphalement, triumphantly.

triomphant, –e, triumphant.

triste, sad.

tristement, sadly.

tristesse, *f.* sadness.

trois, three.

tromper, to deceive; **se —,** be mistaken.

trône, *m.* throne.

trop, too much, too many, too.

trotter, to trot.

trottoir, *m.* sidewalk.

trou, *m.* hole.

trouble, dim, misty.

trouble, *m.* uneasiness, confusion, disorder.

troubler, to trouble, confuse, disorder.

troupe, *f.* troop, soldiers.

trouver, to find; **se —,** be, find oneself.

Trouville, *a watering place on the north coast of France.*

truffe, *f.* truffle.

truites saumonées, *f.* salmon trout.

tuer, to kill.

tuile, *f.* tile.

tutelle, *f.* guardianship.

tuteur, *m.* guardian.

tuyau, *m.* pipe.

U

uniquement, only, solely.

universel, –le, universal.

usage, *m.* use, custom.

usé, –e, worn out, threadbare.

utile, useful.

utilement, usefully.

utiliser, to use.

V

va, *pres. of* **aller.**

vacance, *f.* vacation.

vacarme, *m.* tumult, uproar.

vaguement, vaguely, indistinctly.

vaillant, −e, nimble, brisk.

vaincre, to conquer.

vainement, vainly, in vain.

vais, *pres. of* **aller.**

valenciennes, *f.* Valenciennes lace.

valet, *m.* valet; — **de pied,** footman.

valoir, to be worth, bring, — **mieux,** be better.

valse, *f.* waltz.

valser, to waltz.

vanter, to boast, praise.

vapeur, *f.* vapor, mist.

variante, *f.* alteration, variations.

vaut, *pres. ind. of* **valoir.**

vécu, *p.p. of* **vivre.**

veille, *f.* eve, day before.

veiller, to watch, attend.

velours, *m.* velvet.

vendre, to sell.

vendredi, *m.* Friday.

venir, to come; — **de** (*inf.*) have just . . .

vent, *m.* wind.

vente, *f.* sale.

verdure, *f.* verdure, green.

véritable, true, real, genuine.

véritablement, really.

vérité, *f.* truth.

verre, *m.* glass.

vers, about, towards.

vert, −e, green.

vestibule, *m.* hall, passage.

vêtement, *m.* garment, clothes.

vêtu, −e, dressed.

veux, *pres. ind. of* **vouloir.**

vicaire, *m.* vicar, assistant.

victoire, *f.* victory.

vider, to empty.

vie, *f.* life.

vieillard, *m.* old man.

vieux, vieil, vieille, old.

vif, *m.* **vive,** *f.* quick, lively, eager, hasty.

vilain, −e, ugly.

ville, *f.* town, city.

vin, *m.* wine.

vingtaine, *f.* twenty or so, a score.

vingtième, twentieth.

violent, −e, violent, overdrawn, extravagant, loud.

virtuosité, *f.* skill.

visage, *m.* face.

vis-à-vis, opposite.

visiter, to visit.

vite, quick, quickly.

vivement, quickly, keenly, ardently.

vivre, to live.

vœu, *m.* wish, desire.

voici, behold, here is, here are.

voie, *f.* way, road.

voilà, behold, there is, there are; — **que,** lo (and behold).

voile, *m.* veil.

voir, to see.

voisin, −e, neighbor.

voiture, *f.* carriage, wagon.

voix, *f.* voice.

volant, *m.* flounce.
volée, *f.* rank.
volet, *m.* shutter.
volonté, *f.* will.
volontiers, willingly.
voltige, *f.* tumbling, jumping.
voter, to vote.
votre, your.
vouloir, to will, wish; — **bien,** be willing; **en — à,** be angry *or* vexed with, bear ill will toward.

voûte, *f.* arch.
voyage, *m.* journey, travel.
voyageur, *m.* **voyageuse,** *f.* traveler.
vrai, –e, true, real, genuine.
vraiment, truly, really.
vue, *f.* sight.

Y

y, *adv.* there; *pron.* to him, it, them, *etc.*
yeux, *pl. of* œil.

EXERCISES

I

Based on page 1, lines 1-11.

A. — Répondez aux questions suivantes: 1. Comment marchait le vieux prêtre? 2. Comment s'appelait-il? 3. Comment était la route? 4. Combien d'ans y avait-il qu'il y était curé? 5. Où dormait ce petit village? 6. Que signifie « mince »? 7. Comment s'appelait ce cours d'eau? 8. Depuis combien de temps l'abbé longeait-il le mur? 9. Combien de minutes dans un quart d'heure? 10. Le curé où arriva-t-il?

B. — Donnez la forme féminine des adjectifs suivants: vaillant, ferme, vieux, petit, massif.

C. — Remplacez chaque tiret par l'article défini convenable avec ou sans les prépositions de ou à: — pas — prêtre était ferme. — curé — petit village marchait sur — route. — cours d'eau était — bord — plaine. — abbé arriva devant — grille. — grille s'appuyait — pilier.

D. — Traduisez en français: 1. We walk with firm steps. 2. He had been pastor (*curé*) for more than a year. 3. The plain is called la Lizotte. 4. We were walking along the walls of the village. 5. They arrived before the entrance gate. 6. The pillars of the gate were tall and massive. 7. The wall was high and old. 8. Time had not corroded the stones. 9. We stopped and looked at a small placard posted on the pillar. 10. The priest had stooped and was looking at the bill posted on a pillar.

II

Based on page 4, lines 21-32.

A. — *Répondez aux questions suivantes:* 1. L'abbé qu'est-ce qu'il apercevait? 2. Où l'apercevait-il? 3. En quoi les toitures étaient-elles? 4. Où se détachaient-elles? 5. Qu'est-ce que c'est qu'une « futaie »? 6. Qui était Bernard? 7. Le prêtre où s'attardait-il quelquefois? 8. Où soupait-il alors? 9. De quoi se régalait-il? 10. Comment le fermier reconduisait-il l'abbé à Longueval?

B. — *Remplacez chaque nom en italiques par le pronom personnel sujet nécessaire: La ferme* est au loin. *Les toitures* sont rouges. *Le curé* est chez lui. *Bernard* était son ami. *Mes jambes* sont fatiguées. *Les pommes de terre* sont rouges.

C. — *Conjuguez au présent et à l'imparfait de l'indicatif:* Apercevoir une ferme. Se trouver chez soi. Se sentir fatigué. Atteler un cheval. Reconduire le curé.

D. — *Relisez le texte (p. 4, ll. 21-32) en remplaçant l'imparfait par le présent.*

E. — *Traduisez en français:* 1. I see the priest at a distance. 2. The roof is of black tiles. 3. We found ourselves at home there. 4. My friend is the old priest's farmer. 5. I had been delayed in my visit. 6. I approach the sick man. 7. I shall stop and sup with the marchioness. 8. We had supped on bacon and potatoes. 9. After supper the little black mare will be put to the old cab. 10. We have taken the old marchioness home to the city.

III

Based on page 8, lines 10-26.

A. — *Répondez aux questions suivantes:* 1. Quand M. de Lavardens mourut-il? 2. Quel âge avait son fils alors? 3.

Qu'est-ce qui se montrait déjà? 4. Où était l'hôtel de madame de Lavardens? 5. Qu'en fit-elle? 6. A quoi se consacrait-elle? 7. Quel était le caractère de son fils? 8. Ses précepteurs que s'efforcèrent-ils de faire? 9. Avec quel succès? 10. Qu'est-ce que c'est que Saint-Cyr?

B. — Quel est le pluriel des noms suivants: le fils, la qualité, la madame, l'hôtel, l'ordre, le travail, le bal, l'œil, le nez.

C. — Relisez les lignes 10–17 en employant partout le présent de l'indicatif.

D. — Conjuguez au présent de l'indicatif: mourir, compromettre, se trouver, vendre, vivre, attendre, faire.

E. — Traduisez en français: 1. They died in 1870. 2. He leaves a son three years old. 3. A serious defect showed itself in him. 4. Our fortunes are not seriously compromised, but they are a little diminished. 5. We have sold our house (*hôtel*) in Paris. 6. We shall retire to the country. 7. They lived very economically. 8. I tried in vain to put something serious into his head. 9. They applied at Saint-Cyr but were not admitted. 10. He squandered his fortune very fast.

IV

Based on page 12, lines 16–25.

A. — Répondez aux questions suivantes: 1. Qui s'est mariée? 2. Avec qui s'est-elle mariée? 3. Qui est M. Scott? 4. Qu'est-ce que le procès gagné leur a mis entre les mains? 5. Quelle est la différence entre *dix* et *une dizaine?* 6. Qu'est-ce que les Scott ont en Amérique? 7. Qu'est-ce qu'on va voir? 8. Quel air aurons « nous tous » ? 9. Combien prétend-on qu'ils ont à depenser par jour? 10. Quelle est la valeur d'un franc?

B. — Quel est le pluriel des mots suivants: tout, le procès, la main, laquelle, le pays, le jour, celui.

C. — *Remplacez chaque tiret par* de *ou* du, le, la, de l', des, *suivant le texte:* — madame, — fils, — main, — million, — part, — argent, — air, — cheval blanc, — bon argent, — francs, beaucoup — francs, Je ne vois pas — luxe.   Je n'ai pas — mine — argent.

D. — *Remplacez les noms en italiques par le pronom personnel convenable:* *Suzie* s'est mariée avec M. Scott.   J'ai gagné mon *procès*.   Il m'a mis un million entre *les mains*.   Vous allez voir *le luxe*.   Ils ont *mille francs* à dépenser.

E. — *Traduisez en français:*   1. We said so.   2. The son of the banker married Mrs. Scott's sister.   3. He won his lawsuit, which put into his hands a thousand francs.   4. There is somewhere in America a silver mine.   5. A mine without silver is not a real silver mine.   6. He is going to see some luxury.   7. They all look like poor people.   8. There are no poor people in this country.   9. I spend about ten (*dizaine*) francs daily.   10. If we had a million francs, we should spend it all.

V

Based on page 16, lines 1-13.

A. — *Répondez aux questions suivantes:*   1. Quelle est la différence entre *savoir* et *connaître?*   2. Combien a-t-il payé la jument?   3. Combien fait cela en argent américain?   4. Que signifie « dénicher » ici?   5. Qu'est-ce que c'est qu'un « maraîcher » ?   6. Combien de lieues à l'heure peut faire la jument quand elle est « bien dans son train »?   7. L'abbé était-il pressé?   8. Par où voulait-il entrer?   9. Cette route était-elle la plus courte?   10. Jean avait-il dit des bêtises devant le prêtre?

B. — *Conjuguez au présent et à l'imparfait de l'indicatif:* Connaître, savoir, payer, faire, prendre, dire, pouvoir, devoir.

C. — *Remplacez l'infinitif par le passé défini et le futur:* Vous la *connaître*. Je le *savoir*. Il le *faire*. Je me *presser*. Ils *rentrer*.

D. — Traduisez en français: 1. I do not know the priest. 2. I know what you paid for her. 3. You paid a hundred francs for her. 4. I discovered him a week (*semaine*) ago, drawing a cart. 5. It can make fifteen leagues an hour. 6. We had our hands full (all we could do). 7. That did not do us any good. 8. You did not talk any nonsense before me (in my presence). 9. He said it just now. 10. We should be sorry if he knew it.

VI

Based on page 21, lines 15–28.

A. — Répondez aux questions suivantes: 1. Que faisait Jean pendant ces années? 2. Que prit-il avec son père? 3. Avec le curé? 4. Quel était le caractère de Jean? 5. Lequel des deux professeurs se trouva le plus embarrassé? 6. Quand se trouva-t-il embarrassé? 7. Pourquoi les professeurs se trouvèrent-ils embarrassés? 8. Qui vint à ce moment s'établir à Lavardens? 9. Qu'est-ce qu'elle amenait? 10. Quel était le caractère de Paul?

B. — Remplacez chaque tiret par un pronom possessif convenable: Voici mon père et voilà —. Ses enfants et —. Leur leçon et —. Nos professeurs et —. Leurs fils et —. Vos élèves et —. Ma femme et —. Mon mari et —.

C. — Quels sont les adverbes formés des adjectifs suivants: doux, tranquille, intelligent, gentil, laborieux, poli, actif.

D. — Remplacez l'imparfait par le présent, le passé défini et le futur: Il grandissait. Elle prenait une leçon. Nous faisions des progrès. Ils devenaient trop forts.

E. — Traduisez en français: 1. One year follows another. 2. I shall take my first lesson in spelling. 3. They made such progress that the countess was much embarrassed. 4. My pupil has become a little too lazy for me. 5. After the death of the priest I shall come and settle in Paris. 6. I shall bring a tutor for that little girl, who is very nice. 7. If she is lazy she will not make much progress. 8. We have known each other since our earliest years.

VII

Based on page 25, lines 8-17.

A. — Répondez aux questions suivantes: 1. Que fit le curé en entendant ces paroles? 2. Quelle est la différence entre *mot* et *parole?* 3. Qui entourait-il de ses bras? 4. Où s'appuyait la tête blanche? 5. Quelle était la couleur des cheveux de Jean? 6. Que se détachèrent des yeux du prêtre? 7. Qu'est-ce que le prêtre avait au visage? 8. De quoi Jean était-il possesseur? 9. Avait-il le droit d'en disposer librement? 10. Qu'allait-il avoir?

B. — Remplacez chaque tiret par un adjectif démonstratif convenable: — main est grande. — bras sont courts. — tête est blanche. — vieux prêtre. — visage est triste. — héritage vient du prêtre. — enfant est petit.

C. — Remplacez chaque tiret par le verbe auxiliaire nécessaire pour former le passé indéfini: Il — entendu mes paroles. Nous — venus à la ville. Il s'— appuyé sur la main. Les larmes se — détachées des yeux. Je me — glissé dans la chambre.

D. — Remplacez chaque tiret par le pronom interrogatif convenable: — se leva? — prit-il? Sur — la tête blanche s'appuyait-il? A — le curé s'expliquait-il? Jean — allait-il avoir?

E. — Traduisez en français: 1. He has heard my words. 2. Has the priest arisen? 3. She drew me to her. 4. His hands rested on my head. 5. A big tear has started from my eye. 6. The priest will be obliged to explain himself. 7. I must explain to you that I have not the right to do it. 8. If he has not the right to do it, he will not do it. 9. They will dispose of it at their pleasure. 10. He is not going to have my inheritance.

VIII

Based on page 29, lines 16-30.

A. — *Répondez aux questions suivantes:* 1. Que faisait Jean quand il a aperçu le curé? 2. Que venait-il faire? 3. Que faisait le cheval de Jean? 4. Pourquoi tournait-il la tête vers le curé? 5. Comment sa soutane était-elle? 6. L'abbé en avait-il une autre? 7. Pourquoi ménageait-il l'autre? 8. Les trompettes du régiment quand sonnaient-elles? 9. Qui cherchaient tous les regards? 10. Comment certain paysan le saluait-il?

B. — *Relisez le texte en employant partout le futur.*

C. — *Remplacez l'infinitif par le présent et le passé indéfini et employez la forme interrogative:* Jean *apercevoir* le curé. Il *venir* avec son parrain. Il le *savoir* bien. Il y *avoir* du sucre. L'abbé en *avoir* une belle.

D. — *Remplacez chaque tiret par le pronom personnel disjonctif nécessaire:* Jean aperçoit le curé et vient causer avec —. Les chevaux aiment le sucre et il en avait toujours pour — dans la poche. Sa soutane était usée et il n'allait jamais avec — dans le monde.

E. — *Traduisez en français:* 1. He will come and talk with me as soon as he sees me. 2. The priest's horse turns his head towards him. 3. We know well that he will always have it. 4. There will always be sugar for you in my pocket. 5. His morning cassock is old and patched. 6. If he had a new one he would go into company with it. 7. The regiments will go through the village. 8. All eyes will look for him. 9. I can not get rid of the habit of looking for them. 10. This boy is five feet high.

IX

Based on page 31, lines 16–29.

A. — *Répondez aux questions suivantes:* 1. Les pauvres y perdront-ils? 2. Que faudrait-il que le curé aille demander? 3. A qui faudra-t-il le demander? 4. Qui trouvera-t-il dans le salon? 5. Au lieu de qui? 6. L'Américaine quels cheveux paraît-elle avoir? 7. Le curé y ira-t-il? 8. Pourquoi? 9. Qu'est-ce que la dame lui donnera? 10. La marquise que lui donnait-elle?

B. — *Conjuguez au présent et à l'imparfait du subjonctif les verbes suivants:* Perdre, falloir, aller, paraître, faire, devoir.

C. — *Remplacez l'infinitif par le futur dans les propositions principales et par le présent de l'indicatif dans les propositions subordonnées; commençant par la conjonction si:* Si je *perdre*, il *gagner*. Si j'*aller*, il me *trouver*. Si elle me *donner* de l'argent, je le *faire*. Si j'y *être* cloué par la goutte, elle *aller* toute seule.

D. — *Traduisez en français:* 1. If he loses by it, I shall gain. 2. He must go and ask for the money. 3. Instead of money, you will find nothing there. 4. Instead of the old priest, I saw only the poor and the sick. 5. It seemed that the old man had the gout. 6. I went every week to visit the poor sick man. 7. If those red-haired Americans know all my poverty, they will surely visit me. 8. She was confined to her chair by her suffering. 9. He must make the journey all alone. 10. She will do it better than he.

X

Based on page 36, lines 2–15.

A. — *Répondez aux questions suivantes:* 1. Pourquoi croyait-on que les Percival étaient protestantes? 2. L'étaient-elles? 3. Quel était leur pays? 4. Et leur mère, qu'était-elle? 5. De quelle origine était-elle? 6. Quelle était la langue maternelle de ces dames? 7. Pouvaient-elles dire tout ce qu'elles voulaient dire? 8. Quelle était la religion du mari? 9. Pourquoi voulaient-elles venir voir l'abbé dès le premier jour? 10. Qu'est-ce qu'elles apportaient?

B. — *Remplacez chaque tiret par* ce que *ou* ce qui *suivant le texte:* Je comprends — vous dites. Avez-vous cru — j'ai dit? J'aime — est bon. Je ferai tout — vous demanderez. Je vois — vient.

C. — *Remplacez l'infinitif par le présent de l'indicatif, l'imparfait et le passé défini:* Nous *comprendre* vos doutes. Je *croire* qu'il *être* protestant. Ils *parler* français. Je *vouloir* ma liberté. Nous *venir* dès le premier jour.

D. — *Remplacez l'infinitif par le conditionnel dans les propositions principales et par l'imparfait de l'indicatif dans les propositions subordonnées, commençant par la conjonction* si: Si vous me *comprendre*, vous ne *rire* pas. Si vous le *dire*, nous le *croire*. S'ils *parler* français, nous ne les *comprendre* pas. Si vous *faire* cela, nous le *voir*.

E. — *Traduisez en français:* 1. He did not understand what I was saying. 2. If you had laughed, we should have been angry (*fâché*). 3. I should not have believed that they were of Canadian origin. 4. That is why they believe that France is their country. 5. His sister and he spoke French without accent. 6. We left them entire liberty to do all that they wished. 7. They wished to do it on the very first day. 8. If he comes to see me, it will be for that. 9. This little

sack is necessary for another thing.   10. They are almost if
not altogether French.

XI

Based on page 41, lines 20-32.

A. — *Répondez aux questions suivantes:*   1. De quelle
façon ont-elles tout cela?   2. Est-ce qu'elles s'y attendaient?
3. Quels sont les jours de la semaine?   4. Quel jour était-ce
« hier » ?   5. Qu'est-ce que Bettina demanda à Jean?   6. Comment était la soupe?   7. L'abbé que commençait-il à faire?
8. Pourquoi était-il si ému?   9. Que ne pourrait-il faire?
10. Quels étaient ses « devoirs » ?

B. — *Remplacez chaque tiret par un adjectif interrogatif ou
par un pronom interrogatif suivant le sens:* — continua? — dit-
elle?   De — façon parlait-elle? — dirent-ils?   A — s'atten-
daient-ils? — sont les devoirs du maître de la maison?

C. — *Remplacez chaque tiret par le pronom personnel dis-
jonctif nécessaire:* Qui parle? Est-ce madame Scott?   C'est —.
Est-ce l'abbé qui vient?   C'est —.   Qui sont ces messieurs,
Jean et l'abbé?   Ce sont —.   Qui sont ces dames, Suzie et
Bettina?   Ce sont —.

D. — *Traduisez en français:*   1. We shall get all that in
a very unexpected manner.   2. It was so extraordinary that
we did not expect it.   3. If he expects it, he will not get it.
4. They may well say that they do not expect it at all.   5.
Do you know that to-morrow (*demain*) will be the master's
birthday?   6. Give us a little more of that good soup, we
beg you.   7. I was beginning to recover.   8. She has found
herself again.   9. She was too much moved to do it correctly.   10. The mistress of the house has done her duty.

XII

Based on page 44, lines 11-25.

A. — *Répondez aux questions suivantes:* 1. Quelle est la différence entre *le jour* et *la journée?* 2. Qu'est-ce que c'est qu'une «écurie»? 3. Les dames comment sont-elles affectées de ce qu'elles ont vu? 4. Madame Scott qu'est-ce qu'elle a vu tout le long de la route? 5. Qui l'a accompagnée dans sa promenade? 6. Que voulait-elle savoir? 7. Pourquoi n'a-t-elle pas osé demander? 8. Son mari lui a-t-il dit le prix du domaine? 9. Pourquoi pas? 10. Est-elle contente de l'acquisition?

B. — *Remplacez chaque tiret par* ce, il *ou* elle *selon le sens:* Qui est là? — n'est personne. Voyez cette ferme; — est immense. Le curé est mort; — était très vieux. Faites cela; — est votre devoir. Qui vient? — est moi. Qui avez-vous vu? — était le curé. Voulez-vous voir mon mari? — est malade.

C. — *Remplacez l'infinitif par le participe passé:* Voilà les écuries que j'ai *visiter*. Il est *ravir* de la ferme qu'il a *voir*. Je sais que les châteaux sont *vendre*. Les dames sont *enchanter* de l'acquisition. La leçon a été *apprendre*.

D. — *Traduisez en français:* 1. They have spent the whole day in visiting the country seat. 2. You will see everything, for it is not very large. 3. The farmers were charmed with what they saw. 4. There is one thing that I should be delighted to know. 5. We know that these farms were sold yesterday. 6. He bought the farm, but I did not dare ask him how much it had cost him. 7. We had forgotten to tell her the price. 8. My husband said: "I am delighted with my acquisition." 9. He was sorry to have forgotten the dispatch. 10. If he knows the price of it he will tell me it.

XIII

Based on page 49, lines 1–16.

A. — Répondez aux questions suivantes: 1. Qu'est-ce que M. Scott va offrir à Suzie? 2. Qu'est-ce qu'elle lui a promis? 3. A quelle condition lui donnera-t-il la somme nécessaire? 4. Que lui fallait-il? 5. Que savait-il de son procès? 6. Avait-il la certitude de rentrer dans son argent? 7. Comment cela lui était-il offert? 8. Que fit il? 9. Quand le procès était-il gagné? 10. A qui étaient alors ces terrains?

B. — Remplacez les tirets par l'adjectif ou le pronom démonstratif nécessaire: — somme est — qu'il m'a offerte. — argent est — que j'ai gagné. Je n'aime pas ce terrain-ci; je préfère —. — ferme-là est plus grande que —.

C. — Remplacez la forme affirmative par la forme négative: Allez-y. Donnez-m'en. Promettez-le-moi. Dites-le-lui. Revenons-y. Donnez-les-leur.

D. — Traduisez en français: 1. I promise you to accept what you offer me. 2. He was going to offer me more than I would accept. 3. He said he would do it on one condition. 4. It is necessary that you know what they are worth. 5. He said he did not want to know anything about it. 6. I am not certain that I shall get my money back. 7. I think I shall gain my lawsuit in two months. 8. This land had become my property. 9. I wanted to buy it of him for three thousand francs. 10. If you wish it, we shall buy it.

XIV

Based on page 53, lines 3–22.

A. — Répondez aux questions suivantes: 1. Où le curé s'en allait-il? 2. Jean où conduisait-il madame Scott? 3. Combien d'années y a-t-il dans un siècle? 4. Où etait Pauline?

5. Par où fit-il monter Bettina dans la tribune? 6. De qui
le curé était-il précédé? 7. Où s'agenouillait-il? 8. Que dit
Pauline alors? 9. Le curé qu'est-ce qu'il entendait? 10.
Quelles étaient ses sensations?

B. — Remplacez l'infinitif par le participe passé: Elle s'en
est *aller.* Les tribunes sont *reserver.* Elle est *attendre.* L'orgue
est *faire.* Les enfants de chœur sont *sortir.* Elles se sont
agenouiller. Ils sont *aller.* Les dames sont *prendre* d'une
émotion violente. Les larmes lui sont *venir* aux yeux.

*C. — Remplacez le présent de l'indicatif par le plus-que-
parfait de l'indicatif:* Elle s'en va. Les hommes sortent de
l'église. Les prêtres s'agenouillent. Nous l'entendons. Elles
prennent. Ils se souviennent.

D. — Traduisez en français: 1. We shall go and put on
our surplices. 2. Those seats have been reserved for three
days. 3. They will go ahead and wait for us behind a pillar.
4. I shall make them go up into the narrow gallery. 5. The
ladies went out preceded by a choir boy. 6. The organ, whose
music arose softly, had been installed in the old church. 7.
The tears come into my eyes when I hear that song. 8. We
do not remember having seen him. 9. We have not been
there since the day when you told us that. 10. I wish to share
with them all I have.

XV

Based on page 57, lines 10-20.

A. — Répondez aux questions suivantes: 1. Quel âge Jean
avait-il? 2. Qu'est-ce qui n'**était** jamais entré dans son
cœur? 3. L'amour comment le connaissait-il? 4. Avait-il
jamais lu beaucoup de romans? 5. Qui n'était pas un ange?
6. Qu'est-ce qu'il trouvait aux grisettes de Souvigny? 7.
Que leur disait-il? 8. Lui permettaient-elles de dire cela?

9. Croyez-vous qu'il allait volontiers dans leur société? 10. De quoi ne s'était-il jamais avisé?

B. — Relisez les questions précédentes en remplaçant les temps passés par le présent de l'indicatif.

C. — Remplacez la forme affirmative par la forme négative: Je les ai lus. Elle est entrée. Nous les lui avons donnés. Il le leur disait volontiers. Elles s'en sont avisées.

D. — Traduisez en français: 1. This little boy is only five years old. 2. We have never entered his house. 3. He has never read a novel, but we have read a few. 4. He said, however, that they were angels. 5. We did not find any grace in those boys. 6. I shall not permit them to tell me that. 7. I think this novel is charming. 8. This fancy has not caused my heart any agitation. 9. I have only a very slight knowledge (*connaissance*) of him. 10. We should never have thought of it.